Fale Tudo em Inglês!

VEJA COMO ACESSAR O ÁUDIO p.260

JOSÉ ROBERTO A. IGREJA

Fale Tudo em Inglês!

Um guia completo de conversação para você se comunicar no dia a dia, em viagens, reuniões de negócios, eventos sociais, entrevistas e muitas outras situações.

14ª reimpressão

© 2007 José Roberto A. Igreja

Assistente editorial
Gabriela Canato

Preparação
Vivian Miwa Matsushita

Revisão
José Muniz Jr.

Capa e projeto gráfico
Paula Astiz

Editoração eletrônica
Paula Astiz Design

Ilustrações
Carlos Cunha

Dados Internacionais de Catalogação na Publicação (CIP)
(Câmara Brasileira do Livro, SP, Brasil)

Igreja, José Roberto A.
  Fale tudo em inglês / José Roberto A. Igreja. - Barueri, SP : DISAL, 2007.

Bibliografia.

1. Inglês - Estudo e ensino I. Título.

ISBN 978-85-89533-77-5

07-5001   CDD-420.7

Índices para catálogo sistemático:

1. Inglês : Estudo e ensino 420.7

Todos os direitos reservados em nome de: Bantim, Canato e Guazzelli Editora Ltda.

Al. Mamoré 911, sala 107, Alphaville
06454-040, Barueri, SP
Tel./Fax: (11) 4195-2811

Visite nosso site: www.disaleditora.com.br

Vendas:
Televendas: (11) 3226-3111
Fax gratuito: 0800 7707 105/106
E-mail para pedidos: comercialdisal@disal.com.br

Nenhuma parte desta publicação pode ser reproduzida, arquivada nem transmitida de nenhuma forma ou meio sem permissão expressa e escrita da Editora.

SUMÁRIO

	APRESENTAÇÃO	**7**
I.	**DIÁLOGOS SITUACIONAIS E FRASES-CHAVE** **SITUATIONAL DIALOGUES AND KEY PHRASES**	**11**
1.	Quebrando o gelo - Breaking the ice	13
2.	Viagem para o exterior (Parte 1) - Traveling abroad (Part 1)	25
3.	Viagem para o exterior (Parte 2) - Traveling abroad (Part 2)	37
4.	Entretenimento e diversão - Entertainment and fun	53
5.	Saúde e boa forma - Health and fitness	69
6.	Lar doce lar - Home sweet home	79
7.	No trabalho - At work	87
8.	Relacionamentos - Relationships	105
9.	Vivendo, apenas! (Parte 1) - Just living! (Part 1)	119
10.	Vivendo, apenas! (Parte 2) - Just living! (Part 2)	127
II.	**VOCABULÁRIO** **VOCABULARY**	**137**
III.	**GUIA DE REFERÊNCIA GRAMATICAL** **GRAMMAR REFERENCE GUIDE**	**183**
IV.	**GUIA DE DICAS CULTURAIS** **CULTURAL TIPS GUIDE**	**227**
V.	**GUIA DO VOCABULÁRIO ATIVO** **ACTIVE VOCABULARY GUIDE**	**229**
VI.	**DIÁLOGOS TRADUZIDOS** **TRANSLATED DIALOGUES**	**231**
VII.	**GUIA DE ÁUDIO: FAIXA E PÁGINA** **AUDIO GUIDE: TRACK AND PAGE**	**251**
VIII.	**GUIA DE ASSUNTOS** **SUBJECT GUIDE**	**253**
	BIBLIOGRAFIA	**258**

APRESENTAÇÃO

Bem-vindo a Fale tudo em inglês! – Guia de conversação, um livro abrangente de apoio e referência a todos que estudam ou já estudaram inglês, cuidadosamente planejado para auxiliar na utilização desse idioma em variadas situações.

Fale tudo em inglês! – Guia de conversação é um livro prático e objetivo que reúne frases e diálogos essenciais e recorrentes da conversação cotidiana, sendo altamente recomendado para todos que desejam:
» revisar e consolidar conceitos já estudados;
» preparar-se para uma viagem a um país de língua inglesa;
» preparar-se para reuniões, apresentações e entrevistas em inglês, como é o caso das entrevistas de emprego;
» receber visitantes estrangeiros na empresa;
» relembrar frases e vocabulário-chave e tirar dúvidas;
» praticar e melhorar a compreensão auditiva sobre variados assuntos (o livro traz um áudio com 61 diálogos gravados em inglês norte-americano);
» compreender e responder e-mails em inglês com mais facilidade e de forma mais adequada;
» preparar-se para exames de proficiência do idioma (TOEFL, Michigan, CAE, CPE, etc.).

O conjunto de todas as seções do livro (veja abaixo o item "As seções do livro") o torna uma ferramenta útil e indispensável a todos que necessitam se comunicar, oralmente ou por escrito, em inglês, seja qual for a situação. Dessa forma, Fale tudo em inglês! – Guia de conversação é um livro ideal para se ter em casa, no escritório e levar em viagens, uma vez que auxilia você a se preparar para as situações de conversação que poderá vivenciar.

AS SEÇÕES DO LIVRO

Diálogos situacionais (Situational dialogues)
Fale tudo em inglês! – Guia de conversação reúne 61 diálogos situacionais que abrangem os principais tópicos da conversação cotidiana. As situações abordadas nos diálogos incluem:
» fazer reserva em um hotel
» alugar um carro
» sair para se divertir
» comprar roupas
» fazer o check-in no aeroporto
» pegar um táxi do aeroporto para o hotel
» fazer uma entrevista de emprego
» fazer ligações telefônicas
» freqüentar um restaurante

» pedir desculpas
» aconselhar e pedir conselhos
» usar computadores

Uma das principais preocupações na criação dos diálogos foi retratar com naturalidade e fidelidade a realidade lingüística dos falantes nativos. Dessa forma, o áudio que acompanha o livro, com a gravação dos diálogos situacionais na voz nativa, é um excelente material para você praticar e melhorar a compreensão auditiva do idioma em variados contextos e se preparar para o que certamente vai ouvir ao entrar em contato com falantes nativos, seja em reuniões de negócios, situações informais ou em viagens ao exterior. (Veja também o item "Como tirar melhor proveito de Fale tudo em inglês! – Guia de conversação".)

A versão em português dos diálogos foi propositalmente inserida no fim do livro, para que você procure, em um primeiro momento, compreender os diálogos em inglês sem o auxílio e a interferência do português. Esta será uma prática interessante, em especial para os leitores que têm um nível mais avançado de conhecimento do idioma.

Frases-chave (Key phrases)

Fale tudo em inglês! – Guia de conversação apresenta todas as frases e perguntas-chave utilizadas nos mais variados contextos de conversação. Seja para pedir desculpas, dar conselhos, emitir opiniões, convidar alguém para fazer algo, descrever as características físicas e os traços de personalidade de alguém, falar com o atendente de check-in no aeroporto, pedir informações, falar de sua rotina diária, entre outras situações, você poderá facilmente visualizar, nessa seção bilíngüe, o que precisa dizer.

Um dos destaques dessa seção é que não se trata de uma mera tradução de frases. É sabido que cada idioma possui características e formas próprias, e que muitas vezes não é possível fazer uma tradução literal do português para o inglês mantendo o significado da frase original. Fale tudo em inglês! – Guia de conversação apresenta frases-chave para diversas situações da maneira como são expressas pelos falantes nativos de inglês.

Vocabulário ativo (Active vocabulary)

Para se falar um idioma com fluência é preciso saber empregar o vocabulário da forma mais natural e adequada possível. A seção "Vocabulário ativo" apresenta uma seleção de palavras fundamentais pertencentes a diversos contextos de conversação. Todas essas palavras são apresentadas em frases contextualizadas. Essa seção retrata de forma realista o uso do vocabulário nos contextos mais usuais de conversação. Os tópicos abordados na seção "Vocabulário ativo" incluem:
» viagem aérea
» pegar um táxi
» manter-se em forma
» afazeres domésticos
» trabalho e carreira
» reunião de negócios
» ligações telefônicas

» namoro, romance e sexo

Um dos destaques dessa seção é o tópico "Usando computadores", com vocabulário atualizado de termos usados no mundo da informática.

Dicas culturais (Cultural tips)
Sabemos que língua e cultura são inseparáveis. Há momentos em que é praticamente impossível comunicar-se ou compreender alguém com clareza sem o prévio conhecimento de dados culturais. Fale tudo em inglês! – Guia de conversação apresenta 25 dados culturais relevantes, relativos a contextos variados, como:
» a escala de temperatura Fahrenheit, utilizada nos Estados Unidos, em contraste com a escala Celsius, usada no Brasil
» o café-da-manhã norte-americano e o britânico comparados ao brasileiro
» as unidades de peso e altura dos países de língua inglesa e a forma de expressar velocidade e distância nas estradas
» os sistemas monetários norte-americano e inglês
» datas e feriados típicos dos países de língua inglesa, como o Thanksgiving (Dia de Ação de Graças) e o Valentine's Day (Dia dos Namorados)

Vocabulário (Vocabulary)
Esta seção foi planejada para você localizar rapidamente o vocabulário que precisa empregar em determinadas situações de conversação. Ela complementa e interage com todas as outras seções do livro, em especial a seção "Frases-chave", já que freqüentemente uma frase-chave pode ser alterada com a variação do vocabulário. Dessa forma, o "Vocabulário" potencializa e expande o horizonte lingüístico contido na seção "Frases-chave". Os assuntos apresentados no "Vocabulário" incluem:
» relações familiares
» ocupações
» vocabulário comercial
» artigos de drogaria
» o automóvel
» o corpo humano
» esportes
» comida
» ditados e provérbios

Guia de referência gramatical (Grammar reference guide)
Esta seção foi cuidadosamente elaborada para você revisar de forma rápida, fácil e objetiva conceitos gramaticais fundamentais do idioma. Esses conceitos podem estar um pouco "esquecidos" para muitos que já concluíram um curso de inglês no passado e também para um grande número de pessoas que já iniciaram um curso e pararam. Ao relembrar conceitos importantes do funcionamento da estrutura do idioma inglês, você vai perceber que a compreensão e a aplicação de todas as frases do livro se tornarão mais fáceis. Lembre-se que a

estrutura gramatical de qualquer língua é o esqueleto que dá sustentação a todas as frases e diálogos no idioma.

Um dos destaques dessa seção é o item que aborda o verbo **get**, um dos mais flexíveis da língua inglesa e que chega a ter dez significados diferentes. Essa seção traz ainda uma lista dos principais verbos regulares e irregulares, traduzidos para o português.

COMO TIRAR MELHOR PROVEITO DE *FALE TUDO EM INGLÊS! - GUIA DE CONVERSAÇÃO*

Fale tudo em inglês! - Guia de conversação foi planejado para pessoas de diferentes níveis de conhecimento do inglês. Se o seu conhecimento atual do idioma for do pós-intermediário em diante, uma excelente maneira de explorar esse material é ouvir primeiramente o áudio, tentando compreender as variadas situações apresentadas nos diálogos. É possível que em alguns momentos haja palavras ou frases que você não conseguirá captar com clareza. Nesse caso, ouça o áudio pela segunda vez, tentando avançar na compreensão. Se após mais algumas audições você ainda não conseguir entender tudo o que é falado, poderá recorrer ao diálogo em inglês contido no livro e indicado no "Guia de Áudio: Faixa e Página". O conteúdo de todas as seções do livro servirá de apoio e referência para os momentos em que você precisar tirar dúvidas ou se preparar para situações de conversação, como em viagens ao exterior, reuniões, apresentações, entrevistas etc.

Para as pessoas que possuem um nível básico de conhecimento do idioma, uma boa forma de explorar o material é iniciar com a leitura da seção "Guia de referência gramatical", para revisar a estrutura de funcionamento do idioma. Essa seção é apresentada de forma progressiva: à medida que você gradualmente avançar até o item 18, terá a oportunidade de compreender melhor como elaborar perguntas e frases (afirmativas e negativas) nos tempos verbais (presente, passado, futuro e condicional), entender os significados e a aplicação dos verbos modais e ter uma visão geral dos principais itens que compõem a estrutura do idioma. Você poderá então consultar as seções de "Frases-chave" para se familiarizar com as perguntas e sentenças usuais em vários contextos de conversação, aprender novas palavras nas seções de "Vocabulário ativo" e ouvir os diálogos acompanhando o texto no livro. À medida que você progredir no estudo do idioma (independentemente da escola em que faz o curso), irá notar que o conteúdo de todas as seções do livro complementará e facilitará o seu desenvolvimento de forma significativa.

I. DIÁLOGOS SITUACIONAIS E FRASES-CHAVE
SITUATIONAL DIALOGUES AND KEY PHRASES

1. QUEBRANDO O GELO - BREAKING THE ICE

1.1 Quebrando o gelo (Diálogo) - Breaking the ice (Dialogue)

🔊 Track 1

Alan: It sure is hot today!
Linda: You can say that again! I'm not used to this kind of weather.
Alan: So you're not from around here, are you?
Linda: No, I'm from Boston. It's a lot colder than Florida, I can tell you.
Alan: Sorry, I haven't introduced myself. My name is Alan Gates.
Linda: Nice to meet you Alan! I'm Linda Parker. So you were born here in Florida, right?
Alan: No, actually I was born in South Carolina, but I grew up here. My family moved to Florida when I was just three.
Linda: I guess you are lucky. Florida is a nice place to live. So, what do you do for a living?
Alan: I'm in insurance...
» Veja a tradução desse diálogo na p. 231

1.2 Quebrando o gelo (Frases-chave) - Breaking the ice (Key phrases)

QUEBRANDO O GELO (A) - BREAKING THE ICE (A)

Great view, isn't it? - Bela vista, não é mesmo?
Enjoying the party/the show/the lecture? - Está gostando da festa/do show/da palestra?
Great party/show/lecture, isn't it? - Festa/show/palestra ótima(o), não é mesmo?
I haven't had such fun in years. - Não me divirto assim há anos.
» Veja "Guia de referência gramatical": present perfect p. 214
You look like you're having fun. - Você parece estar se divertindo.
You look happy/lonely/sad. - Você parece contente/solitário(a)/triste.
Can I sit here? - Posso me sentar aqui?
Is this seat/chair taken? - Este(a) assento/cadeira está ocupado(a)?

13

QUEBRANDO O GELO (B) - BREAKING THE ICE (B)

You look familiar... - Você me parece familiar...
Haven't we met before? - Nós já não nos conhecemos?
What do you do (for a living)? - O que você faz?
» Veja Vocabulário 1: Ocupações p. 139
Are you from around here? - Você é daqui?
Do you live in Miami/New York/etc.? - Você mora em Miami/Nova York/etc.?
Do you come here very often? - Você vem aqui com freqüência?

QUEBRANDO O GELO (C) - BREAKING THE ICE (C)

It's sure hot/cold today. - Está quente/frio mesmo hoje.
» Veja Falando sobre o tempo - Frases-chave: Como está o tempo (B) p. 21
It's hot/cold in here. - Está quente/frio aqui dentro.
The weather is great. - O tempo está ótimo.
I just love sunny days. - Eu adoro dias ensolarados.
Excuse me, do you have a cigarette? - Com licença, você tem um cigarro?
Can you give me a light?/Do you have a light? - Você tem fogo?
Sorry, I don't smoke. - Desculpe-me, não fumo.
Do you mind if I smoke? - Você se importa se eu fumar?

1.3 Acho que você não conhece minha amiga (Diálogo) - I don't think you've met my friend (Dialogue)

🔊 **Track 2**

Barry: Hey Paul, long time no see!
Paul: Barry! It's great to see you man, what's up?
Barry: Nothing much. I don't think you've met my friend Liz, have you?
Paul: Not really. Nice to meet you Liz!

Liz: Same here!
Paul: So, do you study here at Stanford?
Liz: Me? Oh, no. I'm just visiting. I'm from Chicago, actually.
Paul: Really? I have an aunt who lives in Chicago. I've been there once, as a matter of fact.
Liz: Have you? I hope you liked it.
Paul: I did. It's a pretty nice city.
Barry: Listen Paul, I don't mean to interrupt but we need to get going. I need to go back to the dorm[1] to get some books for my next class.
Paul: Sure Barry! I'm kind of busy myself. I'll talk to you later then.
Liz: It was great to meet you Paul.
Paul: Same to you. I'll see you around. Take care.
» Veja a tradução desse diálogo na p. 231

1.4 Cumprimentos (Frases-chave) – Greetings (Key phrases)

CUMPRIMENTOS (A) – GREETINGS (A)

Hello!/Hi! – Olá!/Oi!
How are you? – Como está?/Como vai?
I'm fine, thank you. And you? – Estou bem, obrigado. E você?
Fine, thank you. How about you? – Bem, obrigado. E você?
Great. How about yourself? – Ótimo. E você?

CUMPRIMENTOS (B) – GREETINGS (B)

Good morning! – Bom dia!
Good afternoon! – Boa tarde!
Good evening! – Boa noite!
Good night![2] – Boa noite!
Have a good day! – Tenha um bom dia!

CUMPRIMENTOS: INFORMAL – GREETINGS: INFORMAL

How are you doing? – Como está?/Como vai?
How's it going? – Como estão indo as coisas?
How's everything? – Como estão as coisas?
What's up ? – E aí?
Long time no see! – Há quanto tempo a gente não se vê!
Howdy! (EUA) – Olá!/Oi!

---

1. Dorm: Abreviação de dormitory, alojamento para estudantes em universidades norte-americanas.
2. Usado ao se retirar ou antes de ir dormir.

1.5 Despedindo-se (Frases-chave) – Saying good-bye (Key Phrases)

DESPEDINDO-SE (A) – SAYING GOOD-BYE (A)

Bye!/Bye,bye! – Tchau!
See you later! – Até mais tarde!/Te vejo mais tarde!
See you tomorrow! – Até amanhã!
See you around! – Te vejo por aí!
I'll talk to you later, bye! – Depois conversamos, tchau!

DESPEDINDO-SE (B) – SAYING GOOD-BYE (B)

Take care! – Cuide-se!
I'll see you tomorrow, bye! – Te vejo amanhã, tchau!
Ok, catch you later! – Ok, te vejo mais tarde!
Have a great day, bye! – Tenha um ótimo dia, tchau!
Have a good class/meeting/party/etc. – Tenha uma boa aula/reunião/festa/etc.
Good night! – Boa noite!

1.6 Encontrando pessoas pela primeira vez (Frases-chave) – Meeting people for the first time (Key phrases)

Nice to meet you! – Muito prazer!/Prazer em conhecê-lo!
How do you do?[1] – Muito prazer.
It's a pleasure to meet you! – Muito prazer!/Prazer em conhecê-lo!
(I'm) glad to meet you! – Muito prazer!/Prazer em conhecê-lo!
(I'm) pleased to meet you! – Muito prazer!/Prazer em conhecê-lo!
(It's) great to meet you! – Muito prazer!/Prazer em conhecê-lo!

Nice to meet you too! – O prazer é meu!
It's a pleasure to meet you too! – O prazer é meu!
(I'm) glad to meet you too! – O prazer é meu!
(I'm) pleased to meet you too! – O prazer é meu!
(It's) great to meet you too! – O prazer é meu!
Same here![2] – Eu também/O prazer é meu!

---

1. Mais formal.
2. Mais informal; pode ser usado para responder todas as variações de "Nice to meet you!".

1.7 Apresentando a si mesmo e outras pessoas (Frases-chave) – Introducing yourself and other people (Key phrases)

My name is... – Meu nome é...
I'm... – Eu sou...
I don't think we've met before, my name is... – Acho que ainda não nos conhecemos, meu nome é...
Let me introduce myself, I'm... – Deixe me apresentar, eu sou...
I'd like to introduce my friend... – Gostaria de apresentar meu amigo...
I don't think you've met my friend... – Acho que você não conhece meu amigo...
This is my friend/brother. – Este é meu amigo/irmão.
» Veja Vocabulário 5: Relações familiares p. 146

1.8 Pedindo informações pessoais (Frases-chave) – Asking for personal information (Key phrases)

PEDINDO INFORMAÇÕES PESSOAIS (A) – ASKING FOR PERSONAL INFORMATION (A)

What's your name? – Qual é o seu nome?/Como você se chama?
What's your last name? – Qual é o seu sobrenome?
What do you do? – O que você faz?
What do you do for a living? – O que você faz (da vida)?
What's your occupation? – Qual a sua profissão?/O que você faz?
Where are you from? – De onde você é?
What nationality are you?/What's your nationality? – Qual é a sua nacionalidade?
» Veja Vocabulário 2: Países e nacionalidades p. 141
Where were you born? – Onde você nasceu?
Where do you live? – Onde você mora?
How old are you? – Quantos anos você tem?/Qual a sua idade?
Where did you go to high school? – Onde você fez o colegial?
Where did you go to college? – Onde você fez a faculdade?

PEDINDO INFORMAÇÕES PESSOAIS (B) – ASKING FOR PERSONAL INFORMATION (B)

What do you like to do for fun? – O que você gosta de fazer para se divertir?
» Veja Saindo para se divertir – Frases-chave: Coisas que as pessoas fazem para se divertir (B) p. 54, e Vocabulário 10: Esportes p. 150
Do you have a hobby? – Você tem um hobby?
What's your favorite singer/actor/author/etc.? – Qual é o seu cantor/ator/autor/etc. preferido?
What's your sign?/What sign are you? – Qual é o seu signo?
Are you married? – Você é casado/a?
What's your marital status? – Qual é o seu estado civil?
Do you have any children? – Você tem filhos?

Do you have kids? - Você tem filhos?
Do you have a girlfriend/boyfriend? - Você tem namorada/namorado?
Who do you live with? - Com quem você mora?

1.9 Falando de si mesmo (Frases-chave) - Talking about yourself (Key phrases)

FALANDO DE SI MESMO (A) - TALKING ABOUT YOURSELF (A)

My name/last name is... - Meu nome/sobrenome é...
I'm a teacher/lawyer/doctor/etc. - Eu sou professor/advogado/médico/etc.
» Veja Vocabulário 1: Ocupações p. 139
I'm an accountant with... (name of the company) - Eu sou contador na empresa...
I'm in insurance/advertising/sales/etc. - Trabalho com seguros/propaganda/vendas etc.
I'm from Brazil/etc... - Eu sou do Brasil/etc.
» Veja Vocabulário 2: Países e nacionalidades p. 141
I'm Brazilian/etc... - Eu sou brasileiro/etc.
I was born in Brazil/etc. - Eu nasci no Brasil/etc.
I grew up in Brazil/etc. - Eu cresci no Brasil/etc.
» Veja Vocabulário 2: Países e nacionalidades p. 141
I live in... - Eu moro em...
I'm thirty-one years old... - Tenho trinta e um anos de idade...
» Veja Vocabulário 3: Números ordinais e cardinais p. 143
I went to high school in... - Eu fiz o colegial em...
I went to college in... - Eu fiz a faculdade em...

FALANDO DE SI MESMO (B) - TALKING ABOUT YOURSELF (B)

I like... - Eu gosto de...
» Veja Saindo para se divertir - Frases-chave: Coisas que as pessoas fazem para se divertir (B) p. 54 e Vocabulário 10: Esportes p. 150
I collect stamps/old coins/etc. - Eu coleciono selos/moedas antigas/etc.
My favorite singer/actor/author/etc. is... - Meu cantor/ator/autor/etc. preferido é...
I'm a Capricorn/a Leo/a Sagittarius/a Pisces/a Libra/a Virgo/an Aries/a Scorpio/a Cancer/an Aquarius/a Taurus/a Gemini. - Eu sou capricorniano/leonino/sagitariano/de Peixes/de Libra/virginiano/de Áries/escorpiano/canceriano/aquariano/taurino/geminiano.
I'm married. - Sou casado(a).
I'm single. - Sou solteiro(a).
I'm divorced. - Sou divorciado(a).
I'm separated. - Sou separado(a).
I'm engaged. - Sou noivo(a).
I'm a widow. - Sou viúva.
I'm a widower. - Sou viúvo.

I have two kids. – Eu tenho dois filhos.
» Veja Vocabulário 5: Relações familiares p. 146
I have a daughter and a son. – Tenho uma filha e um filho.
I have a girlfriend/boyfriend – Tenho namorada/namorado.
I live with my parents. – Eu moro com meus pais
» Veja Vocabulário 5: Relações familiares p. 146
I live with my wife and kids. – Moro com minha esposa e filhos.
I live alone – Eu moro sozinho.
Sorry, this is personal! – Desculpe, isso é pessoal!

1.10 Falando sobre a sua família (Frases-chave) – Talking about your family (Key phrases)

FALANDO SOBRE SUA FAMÍLIA (A) – TALKING ABOUT YOUR FAMILY (A)

» Veja Vocabulário 5: Relações familiares p. 146
I have a big/small family. – Eu tenho uma família grande/pequena.
I have two brothers and a sister. – Tenho dois irmãos e uma irmã.
I have a younger sister and an older brother. – Eu tenho uma irmã mais nova e um irmão mais velho.
I have a twin brother/sister. – Tenho um(a) irmão/irmã gêmeo(a).
I'm an only child. – Sou filho(a) único(a).
My father/dad is a... – Meu pai é...
» Veja Vocabulário 1: Ocupações p. 139
My father is retired. – Meu pai é aposentado.
My mother/mom is a housewife/lawyer/etc. – Minha mãe é dona de casa/advogada...
My parents live in... – Meus pais moram em...
My parents are divorced. – Meus pais são divorciados.

FALANDO SOBRE SUA FAMÍLIA (B) – TALKING ABOUT YOUR FAMILY (B)

My wife is a... – Minha esposa é...
» Veja Vocabulário 1: Ocupações p. 139
My husband is a... – Meu marido é...
My sister is outgoing. – Minha irmã é extrovertida.
» Veja Descrevendo traços de personalidade – Frases-chave p. 107
My younger brother is funny. – Meu irmão mais novo é engraçado.
My father is serious. – Meu pai é sério.
My parents are friendly. – Meus pais são amigáveis/simpáticos.
We're not related. – Nós não somos da mesma família./Não somos parentes.
What relation are you to...? – Qual o seu grau de parentesco com...?
» Veja Vocabulário 5: Relações familiares p. 146

1.11 Ruídos na comunicação (Frases-chave) - Communication problems (Key phrases)

RUÍDOS NA COMUNICAÇÃO (A) - COMMUNICATION PROBLEMS (A)

Pardon me? - Como? (pedindo para repetir)
I beg your pardon? - Desculpe, como? (pedindo para repetir)
Sorry, can you say it again, please? - Desculpe, você pode repetir, por favor?
Could you please speak slowly? - Você poderia, por favor, falar devagar?
Can you please speak slowly? - Você pode, por favor, falar devagar?
Could you repeat that, please? - Você poderia repetir, por favor?
Can you repeat that, please? - Você pode repetir, por favor?
I'm sorry, I didn't understand that... - Desculpe, não entendi...
Sorry, I didn't get that. - Desculpe, não entendi.
Could you explain that again? - Poderia explicar novamente?

RUÍDOS NA COMUNICAÇÃO (B) - COMMUNICATION PROBLEMS (B)

Can you say that again, please? - Pode dizer aquilo de novo, por favor?
How do you spell...? - Como se soletra...?
What do you call this in English? (showing something) - Como se chama isto em inglês? (mostrando algo)
Come again, please? - Pode repetir, por favor?
What's your name again? - Como é seu nome mesmo?
I didn't quite understand what you said. - Não entendi direito o que você disse.
Sorry, I have no idea what you're talking about. - Desculpe, não tenho a mínima idéia do que você está falando.

1.12 Falando sobre o tempo (Diálogo) - Talking about the weather (Dialogue)

🎵 Track 3

Rachel: Did you hear the weather forecast for the weekend?
Pat: I did. The weatherman said it will be sunny on Saturday, but it might rain a little on Sunday, though.
Rachel: I hate rainy weather. I always feel a little depressed when it rains.
Pat: I know what you mean. So, you prefer the summer, right?
Rachel: Oh, yeah. It's the perfect season for me. You know, I love the **outdoors**.
Pat: And what are you planning to do this weekend?
Rachel: Well, I might go to the beach.

» Veja a tradução desse diálogo na p. 231

> **DICA CULTURAL 1 – CULTURAL TIP 1**
> A palavra **outdoors** refere-se a atividades ao ar livre. Pode também ser usada na forma adjetivada, sem o "s", ex. **outdoor sports** (esportes ao ar livre). Lembre-se que o termo **outdoor** em inglês não tem o mesmo significado que no Brasil (grande painel de propaganda). Nos Estados Unidos, eles são chamados de **billboards** e, na Inglaterra, de **hoardings**.

1.13 Falando sobre o tempo (Frases-chave) – Talking about the weather (Key phrases)

COMO ESTÁ O TEMPO? (A) – WHAT'S THE WEATHER LIKE? (A)

What's the weather like today? – Como está o tempo hoje?
It's hot/cold. – Está quente/frio.
It's sunny. – Está ensolarado.
It's cloudy. – Está nublado.
It's rainy. – Está chuvoso.
It's windy. – Está ventando.
It's snowy. – Está nevando.
It's kind of cloudy. – Está meio nublado.
It's kind of rainy. – Está meio chuvoso.
It's chilly. – Está friozinho.
It's cool. – Está fresco.
It's warm. – Está quente.
It's mild. – Está ameno.

COMO ESTÁ O TEMPO? (B) – WHAT'S THE WEATHER LIKE? (B)

It's seventy degrees Fahrenheit. – Está fazendo setenta graus **fahrenheit**.
It's twenty degrees Celsius/Centigrade. – Está fazendo vinte graus célsius.
It's minus five Centigrade. – Está menos cinco graus célsius.
It's two degrees below zero. – Está dois graus abaixo de zero.

It looks like rain. – Parece que vai chover.
It looks like it's going to rain. – Parece que vai chover.
It's raining. – Está chovendo.
It's pouring! – Está caindo um pé d'água!
It's drizzling. – Está garoando.
It's freezing! – Está congelante!

> **DICA CULTURAL 2** – **CULTURAL TIP 2**
> Para fazer a transformação aproximada da escala **Fahrenheit**, utilizada nos Estados Unidos, para a escala **Celsius**, usada no Brasil, você pode recorrer a um cálculo simples: subtrair 30 do valor em Fahrenheit e depois dividir o restante por 2. Ex.: temperatura em fahrenheit = 60; 60 - 30 = 30/2 = 15, ou seja, 60 graus fahrenheit equivalem a 15 graus célsius. Para transformar temperaturas de Celsius para Fahrenheit, basta fazer a operação inversa: multiplicar o valor em célsius por 2 e somar 30. Ex.: temperatura de 25 graus célsius: 25 x 2 = 50 + 30 = 80, a temperatura de 25 graus célsius equivale a 80 graus fahrenheit.

A PREVISÃO DO TEMPO – THE WEATHER FORECAST

What's the weather forecast for today/the weekend? – Qual é a previsão do tempo para hoje/o fim de semana?
It's going to be hot all day. – Vai fazer calor o dia todo.
It's going to rain in the afternoon. – Vai chover à tarde.
It looks like we'll have a sunny/rainy day. – Parece que teremos um dia ensolarado/chuvoso.
It's going to be a sunny weekend. – Vai ser um fim de semana ensolarado.
The weatherman says it will be a sunny/rainy weekend. – O homem do tempo diz que vai ser um fim de semana ensolarado/chuvoso.
The temperature is rising. – A temperatura está subindo.
The temperature is going to drop. – A temperatura vai cair.

SEU TIPO PREFERIDO DE TEMPO – YOUR FAVORITE KIND OF WEATHER

What's your favorite kind of weather? – Qual o seu tipo preferido de tempo?
I like hot weather. – Gosto de tempo quente.
I prefer sunny days. – Prefiro dias ensolarados.
I like sunny days better. – Prefiro dias ensolarados.
I don't like rainy days. – Não gosto de dias chuvosos.
I hate rainy weather. – Detesto tempo chuvoso.
What's your favorite season? – Qual sua estação do ano preferida?
I prefer the summer/the winter/the fall (autumn)/the spring – Prefiro o verão/o inverno/o outono/a primavera.
I like the summer/the winter better. – Prefiro o verão/o inverno.

FALANDO SOBRE O TEMPO NO SEU PAÍS - TALKING ABOUT THE WEATHER IN YOUR COUNTRY

What's the weather like where you live/in your country? – Como é o tempo onde você vive/no seu país?
I live in a tropical country, so it's usually hot. – Eu vivo em um país tropical, então geralmente faz calor.
It's mostly sunny. – Faz sol a maior parte do tempo.
The temperature is around... – A temperatura fica em torno de...
» Veja Dica cultural 2 p. 22
The temperature is mild. – A temperatura é amena.
Does it rain a lot around here? – Chove muito por aqui?
It hasn't rained in months. – Não chove há meses.
Are these clothes appropriate for the weather here? – Estas roupas são adequadas para o tempo aqui?
It's very cold in the winter. – Faz muito frio no inverno.
It snows in the winter. – Neva no inverno.
It's really hot in the summer. – É bem quente no verão.
Does it snow in the winter? – Neva no inverno?

ESTÁ QUENTE/FRIO DEMAIS PARA... - IT'S TOO HOT/COLD TO...

Is it hot enough to go to the beach/to swim in the pool? – Está quente o suficiente para ir à praia/nadar na piscina?
It's too cold to go swimming. – Está frio demais para nadar.
It's too cold to go outside today. – Está frio demais para sair hoje.
It's too windy to go to the park now/today. – Está ventando demais para ir ao parque agora/hoje.

O TEMPO: COMO VOCÊ SE SENTE - THE WEATHER: HOW YOU FEEL

I'm cold. – Estou com frio.
I'm feeling cold. – Estou sentindo frio.
I'm freezing to death. – Estou morrendo de frio.
I'm hot. – Estou com calor.
I'm feeling hot. – Estou sentindo calor.
I'm melting. – Estou derretendo.

2. VIAGEM PARA O EXTERIOR (PARTE 1) – TRAVELING ABROAD (PART 1)

2.1 Fazendo reserva em um hotel (Diálogo) – Making a hotel reservation (Dialogue)

ᴵᴵᴵᴵᴵ Track 4

(Phone ringing)
Front desk: Green Tree Towers Hotel. How can I help you?
Brian: I'd like to know if you have a room available for the week of the fifteenth.
Front desk: Just a moment, sir. Let me check reservations. Yes, we do.
Brian: Oh, good. How much is the daily rate for a couple?
Front desk: That would be $95, with breakfast included, sir.
Brian: Ok. I'd like to book a room for three days then, from the fifteenth to the seventeenth.
Front desk: Yes, sir. Are you coming to Chicago for the orthopedic convention?
Brian: No. Our daughter lives there. We're coming to visit her.
Front desk: Very good, sir. Let me fill in the reservation form. What's your last name, sir?
Brian: Taylor. Brian Taylor.
Front desk: And...
» Veja a tradução desse diálogo na p. 232

2.2 Fazendo reserva em um hotel (Frases-chave) – Making a hotel reservation (Key phrases)

FAZENDO RESERVA EM UM HOTEL (A) – MAKING A HOTEL RESERVATION (A)

I'd like to make a reservation for the week of... – Gostaria de fazer uma reserva para a semana de...
I'd like to book a room for three nights. – Gostaria de reservar um quarto para três noites.
Do you have any rooms available for the second week of July? – Você tem quartos disponí-

25

veis para a segunda semana de julho?
How much is the daily rate for a couple/a single? – Quanto é a diária para um casal/uma pessoa?
Is breakfast included? – O café-da-manhã está incluso?
Do you take all credit cards? – Vocês aceitam todos os cartões de crédito?
Can you recommend another hotel in the area/nearby? – Você pode recomendar algum outro hotel na região/por perto?
Do you know if there is a youth hostel in the city? – Você sabe se há um albergue da juventude na cidade?

FAZENDO RESERVA EM UM HOTEL (B) – MAKING A HOTEL RESERVATION (B)

How can I help you? – Em que posso ajudar?
Sorry, we are fully booked. – Desculpe, estamos lotados.
The daily rate for a couple/single is... – A diária para um casal/uma pessoa é...
That also includes breakfast. – Isso já inclui o café-da-manhã ...
We take Amex, Visa and Mastercard. – Aceitamos Amex, Visa e Mastercard.

2.3 – Fazendo o check-in no aeroporto (Diálogo) – Checking in at the airport (Dialogue)

⏵ Track 5

Check-in attendant: Can I help you, ma'am?
Passenger: Yes, thanks (handing ticket and passport to check-in attendant).
Check-in attendant: Would you like a window seat or an aisle seat?
Passenger: An aisle seat please. I usually need to stand up and stretch my legs in the middle of the flight. And that's a long flight, isn't it?
Check-in attendant: It sure is. An aisle seat, then.
Passenger: And do you have non-smoking, please?
Check-in attendant: Oh, don't worry. All our flights are non-smoking now.

Passenger: I'm glad to hear that!
Check-in attendant: Ok. Can you please put your bag here, ma'am?
Passenger: Sure. It's just one suitcase. Can I take this one as carry-on luggage?
Check-in attendant: Yes, ma'am. You can put it in the overhead compartment of the plane. Here's your boarding-pass. You will board at gate 12.
Passenger: Very good. Thank you.
» Veja a tradução desse diálogo na p. 232

2.4 Fazendo o check-in no aeroporto (Frases-chave) – Checking in at the airport (Key phrases)

FRASES DO ATENDENTE DE CHECK-IN – CHECK-IN AGENT'S PHRASES

» Veja Vocabulário ativo: Viagem aérea p. 37
Can I see your passport and ticket please? – Posso ver seu passaporte e passagem, por favor?
How many bags are you checking sir/ma'am? – Quantas malas o(a) senhor(a) está levando?
Can you please place your bag on the scale? – O(A) senhor(a) pode colocar a mala na balança, por favor?
Do you have any carry-on luggage?/Do you have any hand luggage? – Você tem bagagem de mão?
I'm afraid you will have to pay for excess baggage. – Sinto muito, mas o(a) senhor(a) terá de pagar pelo excesso de bagagem.
Would you like a window seat or an aisle seat? – Você gostaria de sentar do lado da janela ou do corredor?
Here's your boarding-pass, you're boarding at gate 12. – Aqui está o seu cartão de embarque, o embarque é no portão 12.
The plane starts boarding at 9 o'clock. – O embarque tem início às 9 horas.
I'm afraid the flight has been delayed – Sinto muito, mas o vôo está atrasado.
I'm afraid the flight has been cancelled. – Sinto muito, mas o vôo foi cancelado.
Thank you very much. Have a good flight! – Muito obrigado. Tenha um bom vôo!

FRASES DO PASSAGEIRO – PASSENGER'S PHRASES

» Veja Vocabulário ativo: Viagem aérea p. 37
Can you put me on a window/aisle seat? – Você pode me colocar no assento da janela/do corredor?
Can I take this one as carry-on luggage? – Posso levar esta aqui como bagagem de mão?
How much is the excess baggage charge? – Quanto é a taxa por excesso de bagagem?
What time do we start boarding? – A que horas começamos a embarcar?
What gate number is it? – Qual é o portão?
Where is gate...? – Onde fica o portão...?
Will there be any delay? – Vai haver algum atraso?

2.5 No avião (Diálogo) - On the plane (Dialogue)

🔊 Track 6

"Good morning everyone, this is the captain speaking, we'll be landing in Los Angeles International Airport in a few minutes. The local time is 7:14 am. The weather is good, it's sunny, the temperature is 70 degrees Fahrenheit, about 20 degrees Celsius. I hope you have all had a good flight and on behalf of Global Airlines, I'd like to thank you all for flying with us."

Nancy: I'm sure glad we'll be landing soon.
Victor: Are you afraid of flying?
Nancy: Well, let's just put it like this, flying is not one of my favorite things.
Victor: Where are you from?
Nancy: Seattle. What about you?
Victor: Brazil.
Nancy: Really? I've always wanted to go there for Carnival. And the beaches are gorgeous, aren't they?
Victor: They are really! It's a great place for a vacation. So are you coming to LA on business?
Nancy: Oh no! Not really. My brother lives here. I actually came to pay him a visit. I haven't seen him in a long time...
» Veja a tradução desse diálogo na p. 233

2.6 No avião (Frases-chave) - On the plane (Key phrases)

AS FRASES DA TRIPULAÇÃO - THE CREW'S PHRASES

We'll be taking off shortly. - Vamos decolar em breve.
Fasten your seatbelts, please - Apertem os cintos, por favor.
Please put out your cigarette. - Por favor apague o cigarro.
Can you please put your luggage in the overhead compartment/locker? - Por favor, você pode colocar sua bagagem no compartimento/armário superior?

Please remain seated. – Por favor, permaneçam sentados.
Can you please put away your tray-tables? – Vocês podem, por favor, fechar suas bandejas?
Please raise your seats to an upright position. – Por favor, voltem os assentos para a posição vertical.
Crew prepare for takeoff. – Tripulação, preparar para decolagem.

PEDIDOS DO PASSAGEIRO – PASSENGER'S REQUESTS

Can you bring me some water, please? – Pode me trazer um copo d'água, por favor?
Can you get me some tissue please? – Você pode me trazer um lenço de papel, por favor?
It's too cold in here. – Está frio demais aqui.
Can you turn down the air conditioner? – Você pode diminuir o ar-condicionado?
It's too hot in here. – Está quente demais aqui.
Can you turn up the air conditioner? – Você pode aumentar o ar-condicionado?
My headphones are not working. – Meus fones de ouvido não estão funcionando.
Can you get me another blanket/pillow? – Você pode me trazer mais um cobertor/travesseiro?

SENTINDO-SE ENJOADO – FEELING SICK

» Veja Frases-chave: Sentindo-se doente (A), (B) e (C) p. 71
I'm not feeling very well. – Não estou me sentindo muito bem.
I have a headache. – Estou com dor de cabeça.
I'm feeling a little dizzy. – Estou me sentindo um pouco tonto(a).
Can you bring me some medicine? – Você pode me trazer algum remédio?
Can you get me an aspirin? – Você pode me trazer uma aspirina?
I feel like throwing up. – Estou com vontade de vomitar.
Can you bring me an air-sickness bag? – Você pode me trazer um saquinho para enjôo?

HORA DA REFEIÇÃO – MEAL TIME

» Veja No restaurante - Frases-chave: Fazendo o pedido (B) p. 61; Pedindo bebidas p. 62 e Outros pedidos e comentários p. 62
Would you like chicken or beef? – O senhor gostaria de frango ou carne?
Chicken/meat, please. – Frango/carne, por favor.
What would you like to drink, sir/ma'am? – O que o(a) senhor(a) gostaria de beber?
Some orange juice for me, please. – Suco de laranja para mim, por favor.
Coke, no ice please. – Coca, sem gelo, por favor.
Can I have some whisky, please? – Eu gostaria de uísque, por favor.
Coffee with cream and sugar, please. – Café com creme e açúcar, por favor.

PEDINDO INFORMAÇÕES À AEROMOÇA – ASKING THE STEWARDESS FOR INFORMATION

How long is this flight? – Quanto tempo dura este vôo?
What time are we arriving in New York/Miami/etc.? – Que horas vamos chegar em Nova York/Miami/etc.?
What's the weather like in New York now? – Como está o tempo em Nova York agora?

» Veja Falando sobre o tempo – Frases-chave p. 21
What's the time difference between São Paulo and New York? – Qual a diferença de fuso horário entre São Paulo e Nova York?
What time are we supposed to land? – A que horas devemos aterrissar?
Do I need to fill in the customs form? – Preciso preencher o formulário de alfândega?
Do we need to go through customs? – Precisamos passar pela alfândega?

2.7 Passando pela alfândega (Frases-chave) – Going through customs (Key phrases)

AS PERGUNTAS DO FUNCIONÁRIO DA ALFÂNDEGA – THE CUSTOMS OFFICER'S QUESTIONS

What's the purpose of your visit to New York/Miami/etc.? – Qual é o motivo da sua visita a Nova York/Miami/etc.?
What do you do (for a living)? – O que você faz?
What's your occupation? – Qual é a sua ocupação?/O que você faz?
Is this your first time in New York/Miami/etc.? – Esta é sua primeira vez em Nova York/Miami/etc.?
May I see your passport and air ticket, please? – Posso ver seu passaporte e passagem aérea, por favor?
Are you traveling alone? – O(A) senhor(a) está viajando sozinho(a)?
How long do you plan to stay? – Quanto tempo pretende ficar?
Where will you be staying? – Onde o(a) senhor(a) vai ficar?
Thank you. Have a nice stay! – Obrigado. Tenha uma boa estadia!

AS RESPOSTAS DO VISITANTE – THE VISITOR'S ANSWERS

I'm here on business. – Estou aqui a trabalho.
I'm here for a conference/lecture. – Estou aqui para um(a) congresso/palestra.
I came to attend a meeting/presentation. – Eu vim para participar de uma reunião/apresentação.
I'm a doctor/an engineer/a lawyer/a student/etc. – Eu sou médico(a)/engenheiro(a)/advogado(a)/estudante/etc.
» Veja Vocabulário 1: Ocupações p. 139
I'm here on vacation. – Estou aqui de férias.
I'm here to study. – Estou aqui para estudar.
I came to visit a friend. – Vim visitar um(a) amigo(a).
I came to visit a relative. – Vim visitar um parente.
» Veja Vocabulário 5: Relações familiares p. 146
I'm staying for two weeks/ten days. – Vou ficar duas semanas/dez dias.
I'm traveling with my... – Estou viajando com meu/minha...
» Veja Vocabulário 5: Relações familiares p. 146
I'm staying at the (name of the hotel). – Vou ficar no (nome do hotel).

2.8 Pegando um táxi do aeroporto para o hotel (Diálogo) – Getting a cab from the airport to the hotel (Dialogue)

⏯ Track 7

Bill: Taxi!
Taxi driver: Hello! Let me put your luggage in the trunk. Where to, sir?
Bill: The Waldorf Astoria Hotel, please.
Taxi driver: Ok, sir.
Bill: How far is it from here?
Taxi driver: About 40 minutes if the traffic is Ok. Are you in New York on business?
Bill: Oh, yeah. I came for a convention, but I plan to have some fun as well.
Taxi driver: Sure, sir. There's a lot to do here.
Bill: How much for the ride?
Taxi driver: 45 bucks.[1]
Bill: Ok. Here you are. Keep the change.
Taxi driver: Thank you, sir. I'll get your luggage. Here you are. Have a nice stay in New York.
Bill: Thanks. Bye.
» Veja a tradução do diálogo na p. 233

> **DICA CULTURAL 3 – CULTURAL TIP 3**
> A cidade de Nova York, ilustrada no diálogo acima, é formada por cinco **boroughs** (distritos): The Bronx, Staten Island, Brooklyn, Queens (onde estão localizados o aeroporto internacional JFK e o aeroporto doméstico, La Guardia) e Manhattan, o distrito mais famoso e onde estão concentradas as principais atrações de Nova York: o Central Park, o Empire State Building, a Broadway, famosa pelos teatros, e os bairros de China Town e Little Italy, com muitas opções gastronômicas.

1. Bucks: Veja Dica cultural 22: Cédulas e moedas, na p. 102.

2.9 Pegando um táxi (Frases-chave) – Getting a cab (Key phrases)

Can you take me to Wall Street/Central Park/Little Italy/Chinatown? – Você pode me levar a Wall Street/ao Central Park/a Little Italy/a Chinatown?
How long is the ride from here? – Quanto tempo leva a corrida partindo daqui?
How far is it to...? – Qual a distância até...?
How long does it take to get from here to...? – Quanto tempo leva para chegar daqui até...?
Do you know any short cuts from here? – Você conhece algum atalho daqui?
How much is a ride to...? – Quanto é uma corrida até...?
Is the traffic heavy at this time? – O trânsito é ruim neste horário?
Can you please stop/wait here? – Você pode, por favor, parar/esperar aqui?
Keep the change. – Fique com o troco.

2.10 Vocabulário ativo: Pegando um táxi – Active vocabulary: Getting a cab

CAB/TAXI/TAXICAB: TÁXI

Let's take a taxi downtown.
Vamos pegar um táxi até o centro.
Can you call a cab for us?
Você pode chamar um táxi para nós?

TRAFFIC LIGHTS: SEMÁFORO

There are far too many traffic lights in this city!
Esta cidade tem semáforos demais!

RUSH HOUR: HORA DO RUSH

We'd better leave earlier and beat the rush hour.
É melhor sairmos mais cedo para evitar a hora do rush.

TRAFFIC JAM: CONGESTIONAMENTO, ENGARRAFAMENTO

I was stuck in a traffic jam for almost an hour this morning.
Fiquei preso em um congestionamento por quase uma hora esta manhã.

SHORT CUT: ATALHO

The traffic on the main avenue was jammed, so we decided to take a short cut.
O trânsito na avenida principal estava congestionado, então decidimos pegar um atalho.

CROWDED: CHEIO(A), LOTADO(A)

We took one of the back streets since the main one was crowded.
Pegamos uma das ruas de trás uma vez que a principal estava lotada.

The subway was crowded so we had to stand.
O metrô estava cheio, então tivemos que ir de pé.
The beach was crowded with tourists as it was a holiday.
Como era feriado, a praia estava cheia de turistas.

FENDER-BENDER: PEQUENA BATIDA, UM ARRANHÃO

A fender-bender caused the traffic to stall this morning.
Uma batidinha fez o trânsito empacar esta manhã.

2.11 Fazendo o check-in no hotel (Diálogo) – Checking in at the hotel (Dialogue)

Track 8

Front desk attendant: May I help you, sir?
Mr. Garcia: Yes, I have a reservation under the name Garcia, Antonio Garcia.
Front desk attendant: Just a minute, sir. Here it is, Mr. Garcia. You're staying for six days, right?
Mr. Garcia: That's right.
Front desk attendant: Can you please fill out this form, sir?
Mr. Garcia: Sure.
Front desk attendant: You're in room 201, sir. I'll have the bellboy take your luggage to your room.
Mr. Garcia: Thank you. By the way, do you have a wake-up call service?
Front desk attendant: We do, sir. What time would you like to wake up?
Mr. Garcia: 7:30 a.m. would be fine. And just one more question, what time is check-out?
Front desk attendant: At noon, sir.
Mr. Garcia: Ok, thank you very much.
Front desk attendant: You're welcome, sir!

» Veja a tradução desse diálogo na p. 233

> **DICA CULTURAL 4** – CULTURAL TIP 4
> Na grande maioria dos hotéis norte-americanos o **check-out** é expresso, ou seja, você nem precisa ir até a **front desk** (recepção) para "acertar a conta". Como você já deixa as informações do seu cartão de crédito ao fazer o **check-in**, eles simplesmente processam o pagamento, informando os detalhes em um relatório, que é muitas vezes colocado debaixo da porta do quarto dos hóspedes, na noite anterior à saída do hotel.

2.12 No hotel (Frases-chave) – At the hotel (Key phrases)

CONHECENDO O HOTEL – GETTING TO KNOW THE HOTEL

What kind of accommodation is it? – Qual é o tipo de acomodação?
Do you have a swimming pool/sauna/fitness center/gym? – Vocês têm piscina/sauna/sala de ginástica/academia?
Is there a jacuzzi/gym/sauna/etc.? – Tem hidromassagem/sala de ginástica/sauna/etc.?
Where's the swimming pool/sauna/etc. – Onde fica a piscina/sauna/etc.?
It's on the fifteenth floor. – Fica no décimo-quinto andar.
Is there a minibar in the bedroom? – Tem frigobar no quarto?
Do the rooms have cable TV? – Os quartos têm TV a cabo?
Is there a safe in the room? – Tem cofre no quarto?
Is there an iron in the room? – Tem ferro de passar no quarto?
Do you have any rooms with a king-size bed? – Você tem algum quarto com cama king-size?
What time is check-out? – A que horas é o check-out?
» Veja Dica cultural 4 p. 34

SERVIÇO DE QUARTO – ROOM SERVICE

I need an extra pillow/towel/blanket/soap – Preciso de um travesseiro/toalha/cobertor/sabonete extra.
» Veja Vocabulário 17: Artigos de drogaria p. 163
I need some more hangers. – Preciso de mais cabides.
Do you have laundry service? – Vocês têm serviço de lavanderia?
Do you have a dry cleaning service? – Vocês têm serviço de lavagem a seco?
The TV is not working very well. – A TV não está funcionando direito.
There seems to be a problem with the remote. – Parece haver algum problema com o controle remoto.
The air-conditioning/heating is not working well. – O ar-condicionado/aquecimento não está funcionando bem.
The hair-dryer is not working. – O secador de cabelos não está funcionando.
There is no toilet paper in the bathroom. – Não há papel higiênico no banheiro.
The toilet isn't flushing. – A descarga não está funcionando.
The sink is clogged. – A pia está entupida.

The bathroom drain is clogged. – O ralo do banheiro está entupido.
Could I change rooms? – Eu poderia trocar de quarto?

PEDIDOS E NECESSIDADES – **REQUESTS AND NEEDS**

Do you have a wake-up call service? – Vocês têm serviço de despertar?
Can you please wake me up at 7:00 a.m.? – Você pode me acordar às 7 horas, por favor?
Is there a park where I can go jogging around here? – Tem algum parque aqui perto onde eu possa correr?
» Veja Dica cultural 18 p. 76
Is there a place where I can exchange money near here? – Tem algum lugar aqui perto onde eu possa trocar dinheiro?
» Veja Dica cultural 22 p. 102
What's the exchange rate to the real? – Qual é a taxa de câmbio para o real?
I'd like to order a snack. – Gostaria de pedir um lanche.
» Veja No restaurante – Frases-chave p. 60
I'd like to make a phone call to Brazil. – Gostaria de fazer uma ligação telefônica para o Brasil.
» Veja Fazendo uma ligação – Frases-chave p. 99; Dica cultural 5 p. 35 e Vocabulário ativo: Ligações telefônicas p. 100
How can I call Brazil? – Como ligo para o Brazil?
» Veja Dica cultural 5 p. 35
Can you call me a cab/taxi? – Você pode me chamar um táxi?
» Veja Pegando um táxi – Frases-chave p. 32 e Vocabulário ativo: Pegando um táxi p. 32
Where can I rent a car near here? – Onde posso alugar um carro aqui perto?
» Veja Alugando um carro – Frases-chave p. 42, Dica cultural 7 p. 42 e Dica cultural 8 p. 43
Do you have a business center where I can use a computer? – Você tem um centro de negócios onde eu possa usar um computador?
» Veja Vocabulário 24: O escritório p. 169
I'd like to make a collect call. – Gostaria de fazer uma ligação a cobrar.
» Veja Fazendo uma ligação – Frases-chave p. 99, e Vocabulário ativo: Ligações telefônicas p. 100
Can you please check if you have any messages for room...? – Você pode, por favor, checar se há algum recado para o quarto...?

DICA CULTURAL 5 – **CULTURAL TIP 5**

Uma das formas mais econômicas de fazer ligações dos Estados Unidos e outros países para o Brasil é utilizar o **phone card**, um cartão que geralmente é vendido na própria **gift shop** (lojinha de presentes) do hotel. Utilizá-lo é simples, basta seguir passo a passo as explicações contidas no cartão.

CONHECENDO AS ATRAÇÕES – SIGHTSEEING

What tourist places are there to visit around here? – Que lugares turísticos aqui perto há para se visitar?
What attractions are there to visit around here? – Que atrações aqui perto há para visitar?
What is there to see near here? – O que há para se ver aqui perto?
We'd like to do some sightseeing, can you recommend any places? – Gostaríamos de passear, você recomenda algum lugar?
How far is the downtown area? – A que distância está o centro da cidade?
Is it safe to walk? – É seguro ir a pé?
How far is the beach? – A que distância está a praia?
How can I get to...? – Como posso chegar a...
» Veja Tem uma agência do correio aqui perto? - Frases-chave: Pedindo indicação do caminho p. 40, e Indicando o caminho p. 41
Is there a bus to...? – Tem ônibus para...?
Can we get there by subway/bus? – Podemos chegar lá de metrô/ônibus?
» Veja Tem uma agência do correio aqui perto? - Frases-chave: Pedindo indicação do caminho p. 40, e Indicando o caminho p. 41
Can you please call a taxi for me/us? – Você pode chamar um táxi para mim/nós, por favor?
How much does a ride to... cost? – Quanto custa uma corrida até...?
» Veja Pegando um táxi - Frases-chave p. 32 e Vocabulário ativo: Pegando um táxi p. 32

REFEIÇÕES – MEALS

» Veja No restaurante - Frases-chave p. 60 e Vocabulário 12: Comida e bebida p. 152
What time is breakfast/lunch/dinner served? – A que horas o café-da-manhã/o almoço/o jantar é servido?
Is there a restaurant near here? – Tem um restaurante aqui perto?
Is there a snack bar near here? – Tem uma lanchonete aqui perto?
Is there a fast food restaurant near here? – Tem um restaurante fast food aqui perto?
Where can I buy some food around here? – Onde posso comprar comida aqui perto?
Is there a deli[1] near here? – Tem um mercadinho aqui perto?
Where is the nearest supermarket? – Onde fica o supermercado mais próximo?

DICA CULTURAL 6 – CULTURAL TIP 6

O **breakfast** (café-da-manhã) é considerado uma refeição muito importante nos Estados Unidos e costuma ser uma **hearty meal** (refeição substancial), normalmente composta de suco de laranja, cereais (ex. **corn flakes**: flocos de milho), frutas, ovos com bacon, torrada com manteiga ou geléia, café, leite, **doughnuts**,[2] **muffins**,[3] etc. Observe que a palavra **breakfast** é formada a partir da combinação das palavras **break** (quebra) e **fast** (jejum), ou seja, o **breakfast** é literalmente a "quebra do jejum", o desjejum.

---

1. Abreviação de **delicatessen**, pequeno mercado onde se pode comprar frios, pães, saladas, frutas e lanches prontos.
2 e 3. Veja Vocabulário 12: Comida e bebida - Café-da-manhã p. 152

3. VIAGEM PARA O EXTERIOR (PARTE 2) – TRAVELING ABROAD (PART 2)

3.1 Viagem para o exterior (Diálogo) – Traveling abroad (Dialogue)

Track 9

Bob: You've traveled a lot, haven't you? How many countries have you visited so far?
Mick: About seventeen, I guess. But I still haven't been to Scandinavia.
Bob: What do you usually like to do when you go to a new country?
Mick: A lot of sightseeing... and I also like to taste the local food.
Bob: Sounds interesting!

» Veja a tradução desse diálogo na p. 234

3.2 Vocabulário ativo: Viagem aérea – Active vocabulary: Air travel

FLIGHT ATTENDANT: COMISSÁRIO(A) DE BORDO

There were eight flight attendants on our flight to New York.
Havia oito comissários de bordo no nosso vôo para Nova York.

CREW: TRIPULAÇÃO

The crew was made up of ten people: the pilot, the co-pilot, the flight engineer and seven flight attendants.
A tripulação era composta de dez pessoas: o piloto, o co-piloto, o engenheiro de vôo e sete comissários de bordo.

STEWARDESS: AEROMOÇA

Carrie is a stewardess with American Airlines.
Carrie trabalha como aeromoça na American Airlines.

TO TAKE OFF/TOOK OFF/TAKEN OFF: DECOLAR

Our plane took off on time.
Nosso avião decolou no horário previsto.

TO LAND/LANDED/LANDED: ATERRISSAR

Can you confirm if flight 9601 has already landed?
Você pode confirmar se o vôo 9601 já aterrissou?

TO STOP OVER/STOPPED OVER/STOPPED OVER: FAZER ESCALA

We didn't expect the plane to stop over for refuelling.
Não esperavamos que o avião fosse fazer escala para reabastecimento.

STOPOVER: ESCALA

There are no stopovers on this flight to Toronto.
Não há escalas neste vôo para Toronto.

DUTY FREE SHOP: LOJAS EM AEROPORTOS QUE VENDEM PRODUTOS MAIS BARATOS PORQUE SÃO ISENTAS DE IMPOSTOS, FREE SHOP

I always go to the duty-free shop to buy Swiss chocolate when I travel abroad.
Sempre vou à free shop comprar chocolate suíço quando viajo para o exterior.

CUSTOMS: ALFÂNDEGA

We are going through customs now. Do you have anything to declare?
Vamos fazer a alfândega agora. Você tem algo a declarar?

EXCESS BAGGAGE CHARGE: TAXA POR EXCESSO DE BAGAGEM

How much is the excess baggage charge?
Quanto é a taxa por excesso de bagagem?

CART (EUA)/TROLLEY (INGL.): CARRINHO PARA AS MALAS EM AEROPORTOS

"Let's get a cart for the bags!", said Barry as soon as we walked into the airport.
"Vamos pegar um carrinho para colocar as malas!", disse Barry assim que entramos no aeroporto.

LOCKER: ARMÁRIO, GUARDA-VOLUMES

Do you know if they have lockers here?
Você sabe se eles têm guarda-volumes aqui?

BAGGAGE CLAIM AREA: LOCAL, NO AEROPORTO, ONDE OS PASSAGEIROS RETIRAM SUA BAGAGEM DAS ESTEIRAS

Where's the baggage claim area?
Onde fica a esteira para retirarmos as malas?

DELAY: ATRASO

"I'm afraid we have a delay, sir", informed the check-in agent.
"Sinto muito senhor, mas temos um atraso", informou a atendente do check-in.

TO OVERBOOK/OVERBOOKED/OVERBOOKED: VENDER UM NÚMERO MAIOR DE PASSAGENS DO QUE HÁ DE ASSENTOS DISPONÍVEIS

"I'm afraid the flight is overbooked, sir", said the check-in attendant.
"Sinto muito senhor, mas o vôo está lotado", disse o atendente de check-in.

VISA: VISTO

Do I need a visa to go to Canada?
Preciso de visto para ir para o Canadá?

TO MISS A FLIGHT: PERDER UM VÔO

"I'm sorry to inform that you've missed the flight, sir. Your plane has already taken off", said the check-in agent.
"Sinto informar que o senhor perdeu o vôo. O seu avião já decolou", informou o agente de check-in.

JET LAG: SENSAÇÃO DE DESCONFORTO APÓS LONGAS VIAGENS DE AVIÃO, CAUSADA PELA DIFERENÇA DE FUSO HORÁRIO E POR PERMANECER DURANTE MUITO TEMPO SENTADO NA MESMA POSIÇÃO

James hates long flights. He can't stand the jet lag.
James odeia vôos longos. Ele não suporta o jet lag.

3.3 Há uma agência do correio aqui perto? (Diálogo) - Is there a post office around here? (Dialogue)

🔊 **Track 10**

Tourist: Excuse me. Is there a post office around here?
Passerby 1: I'm sorry I can't help you. I'm from out of town myself. Why don't you ask that young man over there?
Tourist: Thanks.
Tourist: Excuse me. Do you know if there's a post office near here?
Passerby 2: Oh, yeah. There's one on the next block. Just keep going straight, it's on your right, you can't miss it.
Tourist: Thank you! I also need to go to a bank. Are there any around here?
Passerby 2: The nearest one is on Third Avenue. You can turn right on the next corner, walk one block and then turn right again.
Tourist: Thank you so much. I really appreciate your help.
Passerby 2: You're welcome!

» Veja a tradução desse diálogo na p. 234

3.4 Há uma agência do correio aqui perto? (Frases-chave) – Is there a post office around here? (Key phrases)

TEM UMA AGÊNCIA DO CORREIO AQUI PERTO? – IS THERE A POST OFFICE AROUND HERE?

Where can I buy stamps and envelopes? – Onde posso comprar selos e envelopes?
Where is the closest mail-box? – Onde fica a caixa de correio mais próxima?
How many stamps do I need to send this letter? – De quantos selos eu preciso para mandar esta carta?
What time does the post office open? – Que horas o correio abre?
I need to send this package to Brazil/the USA/etc. – Eu preciso enviar este pacote para o Brasil/os Estados Unidos/etc.
How much does it cost for fast delivery? – Quanto custa a entrega rápida?
I'd like to insure this package – Eu gostaria de enviar esse pacote com seguro.
How long does this letter/package take to get to Brazil/the USA? – Quantos dias esta carta/pacote leva para chegar ao Brasil/aos Estados Unidos?
I don't know the Zip Code (EUA)/Postcode (Ingl.) of this place. – Não sei o CEP desse lugar.
Do you have postcards? – Vocês têm cartões-postais?

PEDINDO INDICAÇÃO DO CAMINHO – ASKING FOR DIRECTIONS

Is there a bank/drugstore near here? – Tem um banco/uma farmácia aqui perto?
» Veja Dica cultural 22 p. 102 e Vocabulário 17: Artigos de drogaria p. 163
Do you know if there is a convenience store near here? – Você sabe se tem uma loja de conveniência aqui perto?
How can I get to... from here? – Como posso chegar até... daqui?
Can you tell me how to get to... from here? – Você pode me explicar como chegar ao... daqui?
Is it too far to walk? – É muito longe para ir a pé?

Is it within walking distance? – Dá para ir a pé?
How far is it? – Qual é a distância?
How many blocks from here? – Quantos quarteirões daqui?
Can I get there by subway? – Dá para chegar lá de metrô?
Can I take a bus from here? – Dá para ir de ônibus daqui?
Is there a subway (EUA)/underground (Ingl.) station near here? – Há uma estação de metrô perto daqui?
Where is the nearest bus stop? – Onde é o ponto de ônibus mais próximo?

INDICANDO O CAMINHO – **GIVING DIRECTIONS**

Keep going straight to Second Avenue. – Continue reto até a Segunda Avenida.
You have to turn right on the next street. – Você tem que virar à direita na próxima rua.
Walk one block and turn left. – Ande um quarteirão e vire à esquerda.
It's just around the corner. – Fica logo ali na esquina.
You can walk there. – Dá para ir a pé.
You can go there on foot. – Você pode ir a pé.
It's easier if you take the subway/a cab – É mais fácil se você pegar o metrô/um táxi
» Veja Pegando um táxi - Frases-chave p. 32 e Vocabulário ativo: Pegando um táxi p. 32
If I were you I'd take the bus. – Se eu fosse você pegaria o ônibus.
There is a subway (EUA)/underground (Ingl.) station near here. – Há uma estação de metrô aqui perto.
There's a bus stop near here. – Tem um ponto de ônibus aqui perto.
You can take the subway on... – Você pode pegar o metrô na(o)...
You can take the bus and get off on... – Você pode pegar o ônibus e descer na(o)...
You can get there by subway (EUA)/underground (Ingl.) – Você pode chegar lá de metrô.

3.5 Alugando um carro (Diálogo) – Renting a car (Dialogue)

Car rental agent: Good morning, sir! How may I help you?
Tourist: We'd like to rent a car for a week.
Car rental agent: Certainly. What country are you from, sir?
Tourist: Brazil.
Car rental agent: Ok. May I see your driver's license?
Tourist: Sure. Here you are.
Car rental agent: Right. What kind of car do you have in mind, sir?
Tourist: An economy one. It's just me and my wife, we don't need a big trunk. By the way, does it come with insurance included?
Car rental agent: Well, it comes with CDW insurance included.
Tourist: What does CDW mean?
Car rental agent: It means Collision, Damage, Waiver. This coverage relieves you of financial responsibility if your rental car is damaged or stolen, but you can get additional insurance for a more comprehensive coverage.
Tourist: I see. I guess we'd better be on the safe side then.
» Veja a tradução desse diálogo na p. 234

DICA CULTURAL 7 – CULTURAL TIP 7

Alugar um carro no Estados Unidos é geralmente uma tarefa simples e rápida. Em muitos casos, os atendentes da **car rental company** (locadora) nem acompanham quem está alugando até o pátio onde estão os carros. Você retira a chave do carro com o atendente no balcão após cuidar da parte burocrática e vai sozinho pegar o carro. O mesmo acontece na devolução do veículo, quando, ao chegar ao local de entrega, a fatura com o débito em cartão de crédito é rapidamente processada. Lembre-se que mais de 95% da frota de automóveis nos Estados Unidos é composta por **automatic cars** (carros hidramáticos), ou seja, sem embreagem.

3.6 Alugando um carro (Frases-chave) – Renting a car (Key phrases)

We need a car with a big trunk (EUA)/boot (Ingl.). – Precisamos de um carro com porta-malas grande.
» Veja Vocabulário 6: O automóvel p. 147
We would like an economy car. – Gostaríamos de um carro econômico.
Is my driver's license valid here? – A minha carteira de motorista é válida aqui?
What kind of insurance is this? – Que tipo de seguro é esse?
What does the insurance cover? – O que o seguro cobre?
We'd like full coverage. – Gostaríamos de cobertura total.
Is the tank full? – O tanque está cheio?
Can you give us a road map of Miami/New York/etc.? – Você pode nos dar um mapa rodoviário de Miami/Nova York/etc.?

Can we drop the car off in Miami/New York/etc.? – Podemos devolver o carro em Miami/Nova York/etc.?
What's the speed limit on this road? – Qual é o limite de velocidade nesta estrada?
» Veja Dica cultural 8 p. 43
Is this a toll road? – Essa estrada tem pedágio?
What happens if the car breaks down? – O que acontece se o carro quebrar?
» Veja Problemas com o carro – Frases-chave p. 44
What happens if the car is stolen? – O que acontece se o carro for roubado?
What happens if the car is damaged? – O que acontece se o carro for danificado?
What happens if we get a ticket for speeding? – O que acontece se formos multados por excesso de velocidade?

DICA CULTURAL 8 – CULTURAL TIP 8
Lembre-se que, em vez de quilômetros, as placas de trânsito nos Estados Unidos apresentam indicações de distância e limite de velocidade em **miles** (milhas). Uma milha equivale a aproximadamente um quilômetro e 600 metros. Dessa forma, ao visualizar, por exemplo, uma placa que indica 50 **miles** como velocidade máxima, lembre-se de fazer a conversão: 50 x 1,6 = 80 quilômetros.

3.7 Problemas com o carro (Diálogo) – Car problems (Dialogue)

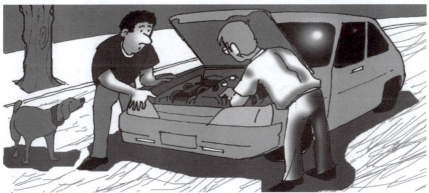

🔊 **Track 12**

Bill: What seems to be the problem?
Jack: I don't have a clue. It just won't start.
Bill: Do you want me to take a look at it?
Jack: Sure.

Bill: It seems there's something wrong with the fuel injection. Have you had any trouble with it lately?
Jack: Not really. Everything was working fine until now.
Bill: Well, you'd better call a mechanic.
» Veja a tradução desse diálogo na p. 235

3.8 Problemas com o carro (Frases-chave) – Car problems (Key phrases)

PROBLEMAS COM O CARRO (A) – CAR PROBLEMS (A)

It seems we have a flat tire. – Parece que o pneu está furado.
Let's get the jack out and lift up the car. – Vamos pegar o macaco e levantar o carro.
Let's get the spare tire. – Vamos pegar o estepe (pneu de socorro).
The car has broken down. – O carro quebrou.
There seems to be something wrong with the... – Parece haver algo errado com o(a)...
» Veja Vocabulário 6: O automóvel p. 147
Let's call a tow truck. – Vamos chamar um guincho.
The car will have to be towed away to the nearest garage. – O carro terá de ser guinchado para a oficina mais próxima.
I've locked the keys inside. – Tranquei o carro com as chaves dentro.

PROBLEMAS COM O CARRO (B) – CAR PROBLEMS (B)

Our vehicle has been damaged. – Nosso veículo foi danificado.
Our car has crashed. – Nós batemos o carro.
It won't start. – Não está pegando.
It keeps stalling. – Está morrendo.
It's overheating. – Está esquentando.
The brakes don't seem to be working properly. – Parece que o freio não está funcionando direito.
The battery has to be recharged. – A bateria precisa ser recarregada.
There seems to be a problem with the gearbox. – Parece haver um problema com a caixa de câmbio.
» Veja Vocabulário 6: O automóvel p. 147
It's leaking oil. – Está vazando óleo.
Is there a garage nearby? – Tem alguma oficina aqui perto?
How long will it take to fix it? – Quanto tempo vai levar para consertar?

3.9 No posto de gasolina (Frases-chave) – At the gas station (Key phrases)

We're running out of gas. – Estamos ficando sem gasolina.
Let's stop at a gas station (EUA)/petrol station (Ingl.) – Vamos parar em um posto de gasolina.

Can you fill it up, please? – Pode completar, por favor?
Twenty dollars on pump 3, please. – Vinte dólares na bomba 3, por favor.
» Veja Dica cultural 9 p. 45
Can you check the oil, please? – Você pode checar o óleo, por favor?
Can you check the tires, please? – Você pode checar os pneus, por favor?
» Veja Vocabulário 6: O automóvel p. 147
Can you wash the windshield, please? – Você pode lavar o pára-brisa, por favor?
How much do I owe you? – Quanto lhe devo?

DICA CULTURAL 9 – CULTURAL TIP 9

Diferentemente do Brasil, a maioria dos postos de gasolina nos Estados Unidos é self--service; portanto, não espere encontrar frentistas neles. Primeiro é preciso pagar ao atendente, que normalmente fica na **convenience store** (loja de conveniência do posto), para que ele libere a bomba para o uso; basta dizer o valor e que bomba você vai usar. Ex.: **Thirty dollars on pump four, please** (Trinta dólares na bomba quatro, por favor). É importante também destacar que nos Estados Unidos a gasolina é medida em galões. Um **gallon** (galão) equivale a um pouco menos de quatro litros.

3.10 Trânsito ruim (Diálogo) – Heavy Traffic (Dialogue)

🔊 Track 13

Nick: I hate driving in such heavy traffic.
Jeff: I know. It's always like this in rush hour.
Nick: What if we go through the back streets? I think traffic would be lighter there.
Jeff: Ok. Let's try. Do you know any short cuts from here?
Nick: I think I know one. I'll turn right on the next corner.
» Veja a tradução desse diálogo na p. 235

3.11 Trânsito ruim (Frases-chave) – Heavy traffic (Key phrases)

» Veja Vocabulário ativo: Pegando um táxi p. 32
The traffic on the main avenue is jammed. – O trânsito na avenida principal está congestionado.
There's a huge traffic jam. – Há um enorme congestionamento.
Traffic is always heavy like this in the rush hour. – O trânsito é sempre ruim assim no horário do rush.
Traffic is starting to stall. – O trânsito está começando a parar.
Sorry for the delay, I was stuck in traffic. – Desculpe o atraso, fiquei preso no trânsito.
Let's leave earlier and beat the rush hour. – Vamos sair mais cedo para evitar a hora do rush.
Do you know any short cuts? – Você conhece algum atalho?
A fender-bender caused the traffic to stall this morning. – Uma batidinha fez o trânsito parar esta manhã.
There has been a pile-up. – Houve um engavetamento.

3.12 Comprando roupas (Diálogo) – Shopping for clothes (Dialogue)

Track 14

Clerk: Can I help you?
Tim: Yes, I'm looking for some t-shirts.
Clerk: Over here please (leading customer to another section of the store). How about these ones?
Tim: Well, maybe not. Do you have any polo shirts?
Clerk: We do. Let me show you some. What color do you have in mind?
Tim: Green or maybe blue. I'm not sure.
Clerk: How about this light blue one?
Tim: It looks nice. Can I try it on?
Clerk: Sure. What size do you wear?
Tim: I'm usually a medium.
Clerk: Ok. Here you are. There's a fitting-room right over there.

Tim: Thank you.
(A few seconds later...)
Clerk: How does it fit?
Tim: I guess it's a little tight. Do you have a larger size?
Clerk: Let me check. Ok, here you are.
Tim: Thanks.
(Customer goes to fitting-room again. A few seconds later...)
Tim: This one is fine. How much is it?
Clerk: $27. It's actually on sale now. It was $36 last week.
Tim: Great! I'll take it.
Clerk: Good! Do you need anything else?
Tim: I don't think so. Do you take credit cards?
Clerk: Sure!
» Veja a tradução desse diálogo na p. 235

3.13 Comprando roupas (Frases-chave) – Shopping for clothes (Key phrases)

FRASES DO ATENDENTE – CLERK'S PHRASES

» Veja Vocabulário 9: Roupas e calçados p. 149
Can I help you? – Posso ajudá-lo?
What can I do for you? – Em que posso ajudar?
Have you been helped, sir/madam? – O(A) senhor(a) já foi atendido(a)?
What size do you wear? – Que tamanho você usa?
Would you like to try it on? – Você gostaria de experimentar?
» Veja Vocabulário 9: Roupas e calçados p. 149 e Vocabulário ativo: Roupas e calçados p. 49
We are out of... – Estamos sem/Não temos mais...
We sold out of... – Vendemos todos(as)/Os(as)... acabaram.
We don't carry... – Não trabalhamos com...
We have a sale on women's shoes... – Os sapatos femininos estão em promoção.
Just a moment, I'll get it for you. – Só um momento, vou pegar para você.
The fitting-room is over there. – O provador fica ali.
Did the shirt fit you? – A camisa serviu?
Do you need anything else? – Precisa de mais alguma coisa?
Would you like it gift-wrapped? – Quer que embrulhe para presente?
(Will that be) cash or charge? – Dinheiro ou cartão?
» Veja Dica cultural 21 e Dica cultural 22 p. 102

PERGUNTAS DO CLIENTE – CUSTOMER'S QUESTIONS

I'm looking for sport clothes/a suit/ties/etc. – Estou procurando roupas esportivas/um terno/gravatas/etc.

» Veja Vocabulário 9: Roupas e calçados p. 109 e Vocabulário ativo: Roupas e calçados p. 49
Can you show me your shirts/pants/etc.? – Você pode me mostrar as camisas/calças/etc.?
» Veja Vocabulário 9: Roupas e calçados p. 109 e Vocabulário ativo: Roupas e calçados p. 49
Can you show me this dress in the window? – Você pode me mostrar este vestido da vitrine?
Can I try it on? – Posso experimentar?
Can I try on a larger/smaller size? – Posso experimentar um tamanho maior/menor?
Do you have a smaller/larger size? – Você tem um tamanho menor/maior?
Do you have it in blue/green/etc.? – Você tem essa peça em azul/verde/etc.?
Do you have that dress in red? – Você tem aquele vestido em vermelho?
Where's the fitting room? – Onde é o provador?
Do you have a mirror? – Tem espelho?
How much is this shirt/dress/etc.? – Quanto é esta camisa/este vestido/etc.?
» Veja Dica cultural 22 p. 102
Can you wrap it as a gift?/Can I have this gift-wrapped? – Pode embrulhar para presente?
Do you have short-sleeved shirts? – Você tem camisas de manga curta?
What time do you close? – Que horas vocês fecham?
Are you open on Sunday? – Vocês abrem no domingo?
Is there any discount if I pay in cash? – Vocês dão descontos para pagamento à vista?
» Veja Dica cultural 22 p. 102
Can you give me a receipt for that, please? – Você pode me dar um recibo, por favor?

COMENTÁRIOS DO CLIENTE – **CUSTOMER'S COMMENTS**

I'm just looking. Thank you. – Só estou olhando. Obrigado.
It's too small/large. – Está pequeno(a)/grande demais.
It doesn't fit. – Não serve.
These shoes are tight. – Estes sapatos estão apertados.
This shirt is loose/tight. – Esta camisa está folgada/apertada.
I'm usually a small/medium/large. – Eu normalmente uso tamanho pequeno/médio/grande.

DICA CULTURAL 10 – **CULTURAL TIP 10**

Para expressar a idéia de "ir ao shopping" em inglês, não basta dizer **go to the shopping**; é preciso dizer **go to the shopping center**. Observe que a tradução literal de **shopping center** é centro de compras. Uma outra forma de dizer a mesma coisa é utilizar a palavra **mall**, que tem o mesmo significado de **shopping center**. Ex.: **I went to the mall last night = I went to the shopping center last night** (Fui ao shopping ontem à noite).

3.14 Uma grande liquidação (Diálogo) - A great sale (Dialogue)

🔊 Track 15

Kate: There's a great sale at Filene's this week. Everything is at least 20% off.
Diane: Really? We can't miss it then!
Kate: I was kind of planning to go there on Thursday afternoon. How does that sound to you?
Diane: That's great! I'm not doing anything on Thursday afternoon. How about if I pick you up at about 4 o'clock?
Kate: Sounds good to me. Let's just not go overboard and buy more than we really need.
Diane: Well, we'll see...
» Veja a tradução desse diálogo na p. 236

3.15 Uma grande liquidação (Frases-chave) - A great sale (Key phrases)

Do you have any items on sale? - Você tem alguma coisa em liquidação?
Do you have any pants/shirts on sale? - Você tem calças/camisas em liquidação?
» Veja Vocabulário 9: Roupas e calçados p. 149 e Vocabulário ativo: Roupas e calçados p. 49
What else is on sale? - O que mais está em liquidação?
What's the usual price of these sneakers? - Qual é o preço normal destes tênis?
Where can I find more dresses like this? - Onde encontro mais vestidos como este?
Do you have this sweater in my size? - Você tem este suéter no meu tamanho?
Everything is 20% off. - Está tudo com 20% de desconto.

3.16 Vocabulário ativo: Roupas e calçados - Active vocabulary: Clothes and shoes

DEPARTMENT STORE: LOJA DE DEPARTAMENTOS

Macy's is a very popular department store in New York. You can find everything there.
Macy's é uma loja de departamentos muito conhecida em Nova York. Você encontra de tudo lá.

SHIRT: CAMISA

To wear out/wore out/worn out: gastar (roupas, sapatos)
I need to buy some new shirts. The ones I have are worn out.
Preciso comprar camisas novas. As que eu tenho estão gastas.

PANTS (EUA)/TROUSERS (INGL.): CALÇAS

I bought a pair of pants at the mall yesterday.
Comprei um par de calças no shopping ontem.

DRESS: VESTIDO

That's a very nice dress. Where did you buy it?
Esse vestido é muito bonito. Onde você o comprou?

JEANS: JEANS

Tim likes faded jeans.
Tim gosta de jeans desbotados.

SUIT: TERNO

Do you always wear a suit to work?
Você sempre usa terno para ir trabalhar?

TIE: GRAVATA

Joe takes off his tie as soon as he gets home from work.
Joe tira a gravata assim que chega em casa do trabalho.

LEATHER JACKET: JAQUETA DE COURO

That leather jacket is really cool. I think I'm going to buy it.
Aquela jaqueta de couro é legal mesmo. Acho que vou comprá-la.

SHOES: SAPATOS

Those shoes look very comfortable. Why don't you try them on?
Aqueles sapatos parecem bastante confortáveis. Por que você não os experimenta?

SLIPPERS: CHINELOS

Have you seen my slippers around?
Você viu meus chinelos por aí?

BOOTS: BOTAS

Those boots are dirty. Don't go inside the house with them.
Essas botas estão sujas. Não vá para dentro de casa com elas.

SANDALS: **SANDÁLIAS**

I enjoy wearing sandals. They feel so comfortable!
Gosto de usar sandálias. Elas são tão confortáveis!

SNEAKERS: **TÊNIS**

I need to buy a new pair of sneakers to go jogging.
Preciso comprar um novo par de tênis para corrida.

CLEATS: **CHUTEIRAS**

Those cleats are really cool. How much did you pay for them?
Essas chuteiras são legais mesmo. Quanto você pagou por elas?

4. ENTRETENIMENTO E DIVERSÃO – ENTERTAINMENT AND FUN

4.1 Saindo para se divertir (Diálogo) – Going out for fun (Dialogue)

🎧 Track 16

Tom: So, what do you feel like doing tonight?
Laura: I don't know. I thought maybe we could go see a play.
Tom: That sounds good to me. Let me take a look at the newspaper and check what's playing. Let's see... There's a new play on at the Dale Theater. It is called **Separate Lives**.
Laura: It sounds like a drama. You know I hate dramas! What else is on?
Tom: How about **The Spy Who Betrayed Me**. It got a rave review.
Laura: What time is it playing?
Tom: Let's see... 6 p.m. and there's a later one at 9 p.m.
Laura: Maybe we can invite Sandy and Jim to go with us.
Tom: Great idea. Why don't you phone Sandy and check if they are not doing anything tonight?
Laura: Okey Dokey!
» Veja a tradução desse diálogo na p. 236

4.2 Saindo para se divertir (Frases-chave) – Going out for fun (Key phrases)

COISAS QUE AS PESSOAS FAZEM PARA SE DIVERTIR (A) – THINGS PEOPLE DO FOR FUN (A)

What do you like to do for fun? – O que você gosta de fazer para se divertir?
What do you enjoy doing in your free time? – O que você gosta de fazer no tempo livre?
What do you feel like doing today/tonight/this weekend? – O que você está a fim de fazer hoje/hoje à noite/este fim de semana?
What would you like to do tonight/this weekend? – O que você gostaria de fazer hoje à noite/este fim de semana?
Would you like to go to the movies with me? – Você gostaria de ir ao cinema comigo?

» Veja Convidando alguém para fazer algo - Frases-chave p. 111
How about going to the beach this weekend? – Que tal ir à praia este fim de semana?
Did you have a good time at the party last night? – Você se divertiu na festa ontem à noite?
What kind of music* do you like? – Que tipo de música você gosta?
What's your favorite sport? – Qual é o seu esporte favorito?
» Veja Vocabulário 10: Esportes p. 150
Do you have a hobby? – Você tem um hobby?

COISAS QUE AS PESSOAS FAZEM PARA SE DIVERTIR (B) – **THINGS PEOPLE DO FOR FUN (B)**
I like to go to the movies. – Gosto de ir ao cinema.
» Veja Tipos de filmes - Frases-chave (A) e (B) p. 57
I like reading. – Gosto de ler.
I collect stamps/old coins/beer cans/key-rings/etc. – Eu coleciono selos/moedas antigas/latas de cerveja/chaveiros/etc.
I like to listen to music.* – Gosto de ouvir música.
I enjoy playing cards.** – Gosto de jogar cartas.
I like to play sports. – Gosto de praticar esportes.
» Veja Vocabulário 10: Esportes p. 150
I usually prefer to stay home and relax. – Geralmente prefiro ficar em casa e relaxar.
» Veja Vocabulário ativo: Férias p. 66
I like to go bicycle riding. – Gosto de andar de bicicleta.
I like to go jogging/running. – Gosto de correr.
» Veja Dica cultural 18 p. 76
I enjoy watching movies. – Gosto de assistir filmes.
I like to play chess/checkers. – Gosto de jogar xadrez/damas.
I like to go dancing. – Gosto de dançar.
I like to go camping/go fishing. – Gosto de acampar/pescar.
» Veja Vocabulário ativo: Férias p. 66
I like to go hiking. – Gosto de fazer caminhada/trilha.
I feel like going to the beach/traveling to the countryside. – Tenho vontade de ir à praia/viajar para o interior.
» Veja Vocabulário ativo: Férias p. 66

* TIPOS DE MÚSICA – **KINDS OF MUSIC**
Brazilian Popular Music: MPB, Música Popular Brasileira
Country music: country
Rock: rock
Classic music: música clássica
Disco: disco
Jazz: jazz
Heavy metal: heavy metal
Techno: techno

> ** **JOGANDO CARTAS** – **PLAYING CARDS**
>
> Deck: baralho
> Suit: naipe
> Clubs: paus
> Spades: espadas
> Hearts: copas
> Diamonds: ouros
> To shuffle the cards: embaralhar as cartas
> To deal the cards: dar as cartas
> Trump (card): trunfo

FALANDO SOBRE ESPORTES – TALKING ABOUT SPORTS

» Veja Vocabulário 10: Esportes p. 150
Who's playing? – Quem está jogando?
What's the score? – Quanto está o jogo?/Como está o placar?
Who's winning/losing? – Quem está ganhando/perdendo?
It's tied. – Está empatado.
It's 2 to 1. – Está 2 a 1.
They have just scored a goal. – Acabaram de fazer um gol.
They won/lost. – Eles ganharam/perderam.
It went into overtime. – Teve prorrogação.
They won by penalties. – Eles ganharam nos pênaltis.
What team do you cheer for (EUA)/support (Ingl.)? – Para qual time você torce?
I cheer for (EUA)/support (Ingl.)... – Eu torço pelo...
Do you play any sports? – Você joga alguma coisa?
» Veja Vocabulário 10: Esportes p. 150
Do you want to play? – Quer jogar?
I'm sorry, I can't. I have an injury. – Desculpe, não posso. Estou machucado.

DIZENDO QUE VOCÊ SE DIVERTIU – SAYING YOU HAD A GOOD TIME

I had a good time watching that comedy. – Eu me diverti assistindo àquela comédia.
I had a lot of fun. – Eu me diverti bastante.
I enjoyed myself a lot. – Eu me diverti muito.
I had a great time. – Me diverti bastante.
I haven't had this much fun in years. – Não me divirto assim há anos.
I got a kick out of that movie/book/etc. – Achei aquele filme/livro/etc. superlegal.

4.3 Um ótimo fim de semana (Diálogo) - A great weekend (Dialogue)

🔊 **Track 17**

Tim: How was your weekend, Bob?
Bob: Terrific![1]
Tim: Oh yeah? What did you do?
Bob: Well, we watched a hillarious DVD on Friday night. We laughed our heads off.
Tim: What was it?
Bob: Mr. Beans Goes Bananas.
Tim: Sounds like fun! What else did you do?
Bob: We went to the club and played tennis on Sunday morning, and dropped by a friend's house in the afternoon.
» Veja a tradução desse diálogo na p. 237

4.4 Um ótimo fim de semana (Frases-chave) - A great weekend (Key phrases)

O QUE VOCÊ FEZ NO FIM DE SEMANA PASSADO? - WHAT DID YOU DO LAST WEEKEND?

I saw a movie. - Eu vi um filme.
» Veja Tipos de filmes - Frases-chave: A e B p. 57
We went to the mall and bought some clothes. - Fomos ao shopping e compramos algumas roupas.
» Veja Dica cultural 10 p. 48
I traveled to the beach. - Viajei para a praia.
We stayed home and relaxed. - Ficamos em casa e descansamos.
I visited my in-laws. - Visitei meus sogros.
We didn't do anything special. - Não fizemos nada especial.

1. Terrific = ótimo; maravilhoso; muito bom; fantástico.

I went to the countryside. – Fui para o interior.
We went to the club. – Fomos ao clube.
We played tennis/volleyball/basketball/etc. – Jogamos tênis/vôlei/basquete/etc.
» Veja Vocabulário 10: Esportes p. 150

4.5 – Indo ao cinema (Diálogo) – Going to the movies (Dialogue)

Track 18

Vick: Have you seen the new James Bond movie yet?
Pat: No, I haven't. Have you?
Vick: Not yet. Do you wanna see it tonight? It's playing at the Arcade Mall.
Pat: Sure. I love action movies. Let's buy the tickets on the web.
Vick: Great idea! Let's do that.
» Veja a tradução desse diálogo na p. 237

4.6 Tipos de filmes (Frases-chave) – Kinds of movies (Key phrases)

TIPOS DE FILMES (A) – KINDS OF MOVIES (A)

What kind of movies do you prefer ? – Que tipo de filme você prefere?
What kind of movies do you like? – Que tipo de filme você gosta?
What's your favorite kind of movie? – Qual é seu tipo preferido de filme?
Do you like westerns/love stories/sci-fi[1]/etc.? – Você gosta de filmes de bangue-bangue/filmes românticos/filmes de ficção científica/etc.?

TIPOS DE FILMES (B) – KINDS OF MOVIES (B)

I like comedies. – Gosto de comédias.

---

1. Abreviação de **science-fiction** = ficção científica.

I prefer love stories. – Prefiro filmes românticos.
I enjoy watching action movies. – Gosto de assistir a filmes de ação.
I love thrillers. – Adoro suspenses.
I hate dramas/war movies. – Odeio dramas/filmes de guerra.
I can't stand westerns. – Não suporto filmes de bangue-bangue.
I prefer sci-fi. – Prefiro ficção científica.
I like sitcoms.[1] – Gosto de séries.
I really like whodunits. – Eu gosto mesmo é de filmes policiais.

4.7 O que tem para o jantar? (Diálogo) – What's for dinner? (Dialogue)

🔊 **Track 19**

Ray: What's for dinner today, honey?
Liz: Pizza, I guess...
Ray: Oh no. Not again! I'm sick and tired of pizza and sandwiches. Can we have a real meal for a change?
Liz: Ok. Why don't we go out for dinner then? We could try that new restaurant on Main Street.
Ray: All right. Sounds good. Let's go.
» Veja a tradução desse diálogo na p. 237

FAMINTO (A) – HUNGRY (A)

» Veja Vocabulário 12: Comida e bebida p. 152
Are you hungry? – Você está com fome?
Would you like something to eat? – Gostaria de comer alguma coisa?
What would you like to eat? – O que você gostaria de comer?
What do you feel like eating? – O que você está com vontade de comer?

---

1. Abreviação de **situational comedies** = seriado cômico.

FAMINTO (B) – HUNGRY (B)

» Veja Vocabulário 12: Comida e bebida p. 152
I'm feeling kind of hungry. – Estou com um pouco de fome.
I'm starving. – Estou morrendo de fome.
I'm famished, let's go get something to eat. – Estou faminto, vamos comer alguma coisa.
I'm thirsty, let's buy something to drink. – Estou com sede, vamos comprar algo para beber.
What's for lunch/dinner? – O que tem para o almoço/jantar?
Let's go to the food court. – Vamos à praça de alimentação.
Let's go grab a bite. – Vamos comer alguma coisa.
I'm sick/tired of junk food. – Estou cheio de comer porcaria.
I'm not very hungry, I think I'll just have a salad. – Não estou com muita fome, acho que só vou comer uma salada.

4.8 No restaurante (Diálogo) – At the restaurant (Dialogue)

ⅰⅰⅰⅰ Track 20

Waiter: Good evening. Are you ready to order?
Sam: Yes, I think so. What would you like to have, honey?
Ann: I guess I'll just have a green salad. I'm not really hungry.
Sam: Ok, a green salad for her and vegetable soup for me, to start with... What does the grilled steak come with?
Waiter: It comes with rice and vegetables, sir.
Sam: Ok. I'll have one of those too.
Waiter: Right. A green salad, vegetable soup and the grilled steak. What would you like to drink?
Ann: An orange juice for me, please. No ice.
Sam: I'll have a beer.
Waiter: Ok. An orange juice and a beer.
Sam: Oh, can you also bring us some bread, please?
Waiter: Sure. I'll be right back with your drinks.

Sam: Thank you.
» Veja a tradução desse diálogo na p. 237

4.9 No restaurante (Frases-chave) – At the restaurant (Key phrases)

PEDINDO O CARDÁPIO – ASKING FOR THE MENU

Can you bring me/us the menu, please? – Você pode trazer o cardápio, por favor?
I'd like to look at the menu, please. – Gostaria de olhar o cardápio, por favor.
Can I take a look at the menu, please? – Posso dar uma olhada no cardápio, por favor?
May I see the menu, please? (more formal) – Posso ver o cardápio, por favor? (mais formal)
Can I see your wine list, please? – Posso ver a carta de vinhos, por favor?

> **DICA CULTURAL 11 – CULTURAL TIP 11**
> Não ache estranho se ao sentar-se à mesa de um restaurante ou lanchonete norte-americana, antes mesmo de você ter olhado o cardápio ou feito o pedido, o garçom trouxer um copo de água com gelo. Esse é um costume bastante difundido nos Estados Unidos.

PERGUNTAS DO GARÇOM (A) – WAITER'S QUESTIONS (A)

How many in your party? – Quantas pessoas no seu grupo?
Would you like to look at the menu? – Gostaria(m) de olhar o cardápio?
Are you ready to order? – Você(s) está(ão) prontos para pedir?
Can I get your order? – Posso anotar o pedido de vocês?
What can I get you, guys? – O que posso trazer para vocês?

PERGUNTAS DO GARÇOM (B) – WAITER'S QUESTIONS (B)

What would you like to drink? – O que você(s) gostaria(m) de beber?
Would you like anything else? – Gostaria(m) de mais alguma coisa?
How would you like your steak, sir? – Como o senhor quer o seu bife?
What would you like to have for dessert? – O que gostariam de sobremesa?
What about dessert? – E de sobremesa?
I'll be right back. – Volto já.

> **DICA CULTURAL 12 – CULTURAL TIP 12**
> O termo **continental breakfast** refere-se ao café-da-manhã simples, normalmente composto de café e pães somente, em contraste com o **English breakfast**, o café-da-manhã tradicional britânico, que inclui ovos, bacon, cereal, torrada, geléia, chá ou café etc.

FAZENDO O PEDIDO (A) – ORDERING (A)

» Veja Vocabulário 12: Comida e bebida p. 152
Party of five. – Grupo de cinco pessoas.
There are four of us. – Somos em quatro.
Do you have a no-smoking area? – Vocês têm área para não fumantes?
We are ready to order. – Estamos prontos para fazer o pedido.
Can you please get our order? – Você pode por favor anotar o nosso pedido?
I'd like a green salad first, please. Eu queria primeiro uma salada de folhas, por favor.
» Veja Vocabulário 12: Comida e bebida p. 152
We'd like to start with the vegetable soup, please. – Gostaríamos de começar com a sopa de legumes, por favor.
Can you bring us some garlic bread and butter, please? – Você pode nos trazer pão de alho e manteiga, por favor?
Do you serve breakfast/brunch? – Vocês servem café-da-manhã/brunch?
» Veja Dica cultural 13 p. 61

DICA CULTURAL 13 – CULTURAL TIP 13

O **brunch** é uma refeição que pode ser descrita como um café-da-manhã tardio e reforçado e que normalmente inclui pratos tanto do café-da-manhã quanto do almoço. Observe que a palavra **brunch** é formada a partir da combinação das primeiras letras de **br**eakfast (café-da-manhã) e das últimas de **l**unch (almoço).

FAZENDO O PEDIDO (B) – ORDERING (B)

» Veja Vocabulário 12: Comida e bebida p. 152
I'll have the chicken fillet with potatoes, please. – Vou querer o filé de frango com batatas, por favor.
I'll have the steak with french fries, please. – Vou querer o bife com batatas fritas, por favor.
I'd like my steak rare/medium/well-done, please. – Eu queria o meu bife malpassado/no ponto/bem passado, por favor.
I'd like the spaghetti with meatballs. – Eu queria o espaguete com almôndegas.
What kind of pasta do you have? – Que tipo de massas vocês têm?
I'll have a cheeseburger. – Vou querer um x-burguer.
» Veja Vocabulário 12: Comida e bebida p. 152

DICA CULTURAL 14 – CULTURAL TIP 14

Ao contrário do que ocorre no Brasil, o almoço nos Estados Unidos costuma ser uma refeição muito mais rápida, ocasião em que os norte-americanos muitas vezes fazem uso da **fast food**, sendo que o cardápio freqüentemente inclui **snacks** (lanches) variados, como sanduíches, hambúrgueres, panqueca, pizza etc.

» Veja Vocabulário ativo: De dieta p. 73

PEDINDO BEBIDAS – ORDERING DRINKS

» Veja Vocabulário 12: Comida e bebida p. 152
I'd like a regular coke, with no ice, please. – Eu queria uma coca normal, sem gelo, por favor.
» Veja Dica cultural 15 p. 62
What kind of soft drinks do you have? – Que tipos de refrigerante vocês têm?
Do you have fresh squeezed orange juice? – Vocês têm suco de laranja feito na hora?
I'd like a pineapple/passion fruit juice. – Eu queria um suco de abacaxi/maracujá.
I'll have a beer. – Vou tomar uma cerveja.
Do you have draft beer? – Vocês têm chope?
We'd like some red/white wine, could you please bring us your wine list? – Queríamos vinho tinto/branco, você poderia trazer a carta de vinhos, por favor?
I'd like a shot of whisky, please. – Eu queria uma dose de uísque, por favor.
What kind of cocktails do you have here? – Que tipos de coquetéis você tem aqui?

DICA CULTURAL 15 – CULTURAL TIP 15

É padrão nos restaurantes e lanchonetes dos Estados Unidos servir os refrigerantes com bastante gelo, um hábito dos norte-americanos. Portanto, ao fazer o pedido, lembre-se de dizer **No ice, please!** (Sem gelo, por favor!), caso não queira seu refrigerante bem gelado.

OUTROS PEDIDOS E COMENTÁRIOS – OTHER REQUESTS AND COMMENTS

Can you get me a straw, please? – Você pode me trazer um canudinho, por favor?
Can you bring me a glass with ice cubes, please? – Você pode me trazer um copo com gelo, por favor?
Can you bring us the salt/sugar, please? – Você pode nos trazer o sal/açúcar, por favor?
» Veja Vocabulário 12: Comida e bebida – Temperos e condimentos p. 157
Could you please bring us some bread and butter? – Você poderia, por favor, nos trazer pão e manteiga?
Can you bring us some grated cheese, please? – Você pode nos trazer queijo ralado, por favor?
Can you get me another fork/knife/spoon, please? – Você pode me trazer outro garfo/faca/colher, por favor?
Could you bring me an ashtray, please? – Você poderia me trazer um cinzeiro, por favor?
Can you get me some toothpicks? – Você pode me arrumar palitos de dente?
Can you bring us some napkins? – Você pode nos trazer alguns guardanapos?
Could you please change the tablecloth? – Você poderia trocar a toalha de mesa, por favor?
I'll have a coffee, please. – Vou tomar um café, por favor.
» Veja Dica cultural 16 p. 63
Where are the restrooms, please? – Onde é o toalete, por favor?

How's your dish? – Como está o seu prato?
What's your favorite dish? – Qual é o seu prato favorito?
» Veja Vocabulário 12: Comida e bebida p. 152

DICA CULTURAL 16 – CULTURAL TIP 16

Os norte-americanos tomam o café fraco e em copo grande. Assim, nos Estados Unidos, o café mais parecido com o que tomamos no Brasil é o expresso (chamado pelos norte-americanos de **espresso**, grafado como na forma italiana). Contudo, lembre-se que um **espresso** é muito mais caro que seu equivalente no Brasil, chegando a custar, em alguns casos, três dólares.

AO FINAL DA REFEIÇÃO – AT THE END OF THE MEAL

Lunch/dinner was delicious. – O almoço/jantar estava delicioso.
I can't eat anything else, I'm stuffed/full. – Não consigo comer mais nada, estou cheio.
I think I'll pass dessert. – Acho que vou pular a sobremesa.
» Veja Vocabulário 12: Comida e bebida – Sobremesas p. 156
I'll have a chocolate/vanilla ice cream. Vou tomar um sorvete de chocolate/baunilha.
» Veja Vocabulário 12: Comida e bebida – Sobremesas p. 156
I think I'll just have some coffee. – Acho que só vou tomar um café.
» Veja Dica cultural 16 p. 63
I'll have an espresso. – Vou tomar um café expresso.
Can you bring us the check (EUA)/bill (Ingl.), please? – Pode nos trazer a conta, por favor?
Is the service/tip included? – O serviço/gorjeta está incluso(a)?
» Veja Dica cultural 17 p. 63
I think we should tip the waiter. – Acho que deveríamos dar uma gorjeta para o garçom.
» Veja Dica cultural 17 p. 63
We need a receipt. – Precisamos de um recibo.
Can you get us a receipt, please? – Pode nos trazer um recibo, por favor?

DICA CULTURAL 17 – CULTURAL TIP 17

A **tip** (gorjeta) nem sempre vem inclusa no **check** (EUA)/**bill** (Ingl.) (conta); nesses casos é de bom tom deixar uma gorjeta equivalente a 10% ou 15% do total da conta. Lembre-se que dar gorjeta é um procedimento culturalmente bastante difundido nos Estados Unidos e certamente esperado.

4.10 Uma festa de aniversário (Diálogo) - A birthday party (Dialogue)

🔊 Track 21

Mary: I'm glad you could make it.
Phil: I wouldn't miss this party for the world.
Mary: Come on in! Let me get your coat.
Phil: Where's Arnold?
Mary: He's in the kitchen, slicing the bread.
Phil: Since when does he help you with the cooking?
Mary: Well, he doesn't really!
Phil: So, where's our birthday boy?
Mary: Back there, with his friends.
Phil: This is for Billy. I hope he hasn't got any of these yet.
Mary: Oh, he's gonna love it! Why don't you give it to him yourself?
Phil: Sure, let me say hello to the folks here first...
» Veja a tradução desse diálogo na p. 238

4.11 Vocabulário ativo: Hora de festejar! - Active vocabulary: Party time!

TO PARTY/PARTIED/PARTIED: FESTEJAR

"Let's party!", said Brad to his friends.
"Vamos festejar!", disse Brad aos amigos.

PARTY ANIMAL: PESSOA QUE GOSTA DE FESTAS E BEBIDAS ALCOÓLICAS E QUE ÀS VEZES SE COMPORTA DE MANEIRA MAL-EDUCADA

You know Bob is a party animal. Even if we didn't invite him I'm sure he'd show up!
Você sabe que o Bob é louco por festas. Mesmo se não o convidássemos tenho certeza de que ele apareceria!

TO THROW A PARTY: DAR UMA FESTA

Did you know Peggy is throwing a party?
Você sabia que a Peggy está dando uma festa?

BOOZE (INFORMAL): BEBIDA ALCOÓLICA; BIRITA

Let's go buy some booze!
Vamos comprar birita!

BIRTHDAY BOY: ANIVERSARIANTE (SEXO MASCULINO)

BIRTHDAY GIRL: ANIVERSARIANTE (SEXO FEMININO)

BIRTHDAY CAKE: BOLO DE ANIVERSÁRIO

TO BLOW OUT THE CANDLES: APAGAR AS VELAS

Ralph was so little that he could hardly blow out the candles on his birthday cake.
Ralph era tão pequeno que mal podia apagar as velas no seu bolo de aniversário.

HOST: ANFITRIÃO

HOSTESS: ANFITRIÃ

GUESTS: CONVIDADOS

Karen did the best to please her guests. She was really a great hostess!
Karen fez o melhor que pôde para agradar os convidados. Ela foi mesmo uma ótima anfitriã!

TO TURN YEARS OLD: FAZER ANOS (DE IDADE)

Did you know Greg is turning eighteen years old today?
Você sabia que o Greg está fazendo dezoito anos hoje?

TO GET GIFTS: GANHAR PRESENTES

How many gifts have you gotten for your birthday so far?
Quantos presentes de aniversário você já ganhou até agora?

4.12 Um ótimo lugar para passar as férias (Diálogo) - A great place for a vacation (Dialogue)

🔊 Track 22

Fred: So, you're going on vacation in a few days, right?
Stan: That's right. I can't wait till next week. I really need to take some time off and relax.
Fred: Are you planning to travel?
Stan: As a matter of fact we are. My wife has a sister who lives in Orlando, we are going to spend a week there.
Fred: Orlando! Sounds like fun. The weather is perfect there. That's a great place for a vacation.
Stan: I know. My twelve year-old daughter is all excited about going to the Disney resorts. That's another reason why we are going there.
Fred: Nice choice! I hope you have a great time there.
Stan: I'm sure we will. Thanks!
» Veja a tradução desse diálogo na p. 238

4.13 Vocabulário ativo: Férias - Active vocabulary: On vacation

TO SPEND VACATION: PASSAR AS FÉRIAS

Where did you spend your last vacation?
Onde você passou suas últimas férias?

TO UNWIND/UNWINDED/UNWINDED: RELAXAR

I've been stressed lately. I need to take a few days off to unwind.
Ando estressado ultimamente. Preciso tirar alguns dias de folga para relaxar.

AMUSEMENT PARK: PARQUE DE DIVERSÃO

We had a lot of fun at the amusement park yesterday.
Nos divertimos muito no parque de diversão ontem.

RIDE: BRINQUEDO EM PARQUE DE DIVERSÃO

Have you been on that ride?
Você já foi naquele brinquedo?
Is this a wet ride?
Este brinquedo molha?

TO GO FISHING: IR PESCAR

Dick and his buddies go fishing at least once a month.
Dick e seus amigos vão pescar pelo menos uma vez por mês.

TO GO CAMPING: IR ACAMPAR

Have you ever gone camping?
Você alguma vez já acampou?

TENT: BARRACA

"Let's put up the tent over here!", shouted Leo to his friends.
"Vamos montar a barraca aqui!", gritou Leo para os amigos.

TO SUNBATHE/SUNBATHED/SUNBATHED: TOMAR BANHO DE SOL

Do you enjoy sunbathing?
Você gosta de tomar banho de sol?

TO GET A TAN: PEGAR UM BRONZE

Cindy spends hours lying by the pool getting a tan.
Cindy passa horas deitada ao lado da piscina pegando um bronze.

SUNBLOCK/SUNSCREEN: PROTETOR SOLAR

Don't forget to wear sunscreen. You know those rays can be harmful to your health.
Não se esqueça de usar protetor solar. Você sabe que aqueles raios de sol podem ser prejudiciais a sua saúde.

5. SAÚDE E BOA FORMA - HEALTH AND FITNESS

5.1 Uma visita ao médico (Diálogo) - A visit to the doctor (Dialogue)

🔊 Track 23

Doctor: Good afternoon. What seems to be the problem?
Frank: I've been having constant headaches and I sometimes feel dizzy.
Doctor: Have you changed your diet in any way?
Frank: Not really.
Doctor: What about work? Have you been working more than usual in the past few days?
Frank: Well, I haven't been working more than usual, but I have been under a lot of stress recently.
Doctor: Let me examine you. Can you please take off your shirt and lie down on the table? (A few minutes later...) Everything seems to be okay. I'll need you to take a blood test. In the meantime take an aspirin when you do have a headache. It shouldn't be anything serious.
» Veja a tradução desse diálogo na p. 238

5.2 Uma visita ao médico (Frases-chave) - A visit to the doctor (Key phrases)

UMA VISITA AO MÉDICO (A) - A VISIT TO THE DOCTOR (A)

What seems to be the problem? - Qual é o problema?
» Veja Vocabulário 14: O corpo p. 160 e Vocabulário 15: No médico: sintomas e doenças p. 161
How long have you been feeling like this? - Há quanto tempo você se sente assim?
Have you felt like this before? - Você já se sentiu assim antes?
Are you taking any medication? - Você está tomando algum remédio?
Are you allergic to anything? - Você é alérgico a alguma coisa?
Does it hurt here? - Dói aqui?
Where does it hurt? - Onde dói?

Can you move your arms like this? – Você consegue mexer seus braços assim?
» Veja Vocabulário 14: O corpo p. 160
Have you had unprotected sex? – Você fez sexo sem proteção?
When did you last have your period? – Quando foi sua última menstruação?
Breathe deeply. – Respire fundo.
Breathe in and breathe out. – Inspire e expire.
Have you had trouble sleeping? – Você tem tido dificuldade para dormir?
Do you have any other symptoms? – Você tem algum outro sintoma?
» Veja Vocabulário 15: No médico: sintomas e doenças p. 161
Come back to see me if you don't feel better in a few days. – Volte aqui se não se sentir melhor em alguns dias.

UMA VISITA AO MÉDICO (B) – A VISIT TO THE DOCTOR (B)

Let's get an X-ray of your knee/lungs/etc. – Vamos tirar um raio X do seu joelho/dos seus pulmões/etc.
» Veja Vocabulário 14: O corpo p. 160
Let's take your blood pressure/temperature. – Vamos tirar sua pressão/temperatura.
It seems you have twisted/sprained your ankle. – Parece que você torceu o tornozelo.
We'll need to put your arm/foot/leg in a cast. – Vamos ter de engessar seu braço/pé/perna.
I need to give you a shot. – Preciso te dar uma injeção.
We need you to take a blood test. – Precisamos fazer um exame de sangue.
I'll prescribe some medicine for you. – Vou receitar um remédio para você.
Take two pills every six hours. – Tome dois comprimidos a cada seis horas.
You should quit smoking or at least try to smoke less. – Você deveria parar de fumar ou pelo menos tentar fumar menos.
You should stay home and rest for two days. – Você deve ficar em casa e descansar por dois dias.
You should feel better in a few days. – Você deve sentir-se melhor em alguns dias.

5.3 Sentindo-se doente (Diálogo) – Feeling sick (Dialogue)

Track 24

Brad: Hey Phil! What's the matter? You look like you're not feeling too good.
Phil: Well, this is not one of my best days, if you want to know the truth.
Brad: What's wrong?
Phil: I've had this headache since last night and I feel like throwing up right now.
Brad: Oh man! That's too bad. Is there anything I can do?
Phil: I don't think so, thanks anyway. I've already taken a couple of aspirins since last night, but they haven't helped much.
Brad: Do you think it's because of something you ate?
Phil: I don't know. I haven't eaten anything unusual lately, but it might be... If I don't feel better in the next few hours I think I'll go see a doctor.
Brad: I guess you should.

» Veja a tradução desse diálogo na p. 239

5.4 Sentindo-se doente (Frases-chave) – Feeling sick (Key phrases)

SENTINDO-SE DOENTE (A) – FEELING SICK (A)

I'm not feeling very well. – Não estou me sentindo muito bem.
» Veja Vocabulário 15: No médico: sintomas e doenças p. 161
I'm feeling unwell. – Não estou me sentindo muito bem.
I'm feeling a bit under the weather. – Estou me sentindo um pouco indisposto.
I have the flu.[1] – Estou gripado.
I have a bad cold. – Estou com um resfriado forte.
I have a headache. – Estou com dor de cabeça.
I have a sore throat. – Estou com dor de garganta.
I have a bad cough. – Estou tossindo muito.
I have a temperature/fever. – Estou com febre.
I'm sneezing a lot. – Estou espirrando muito.
I have a runny nose. – Estou com coriza.
My nose is bleeding. – Meu nariz está sangrando.

SENTINDO-SE DOENTE (B) – FEELING SICK (B)

I have a stomachache. – Estou com dor de estômago.
I have an upset stomach. – Estou com o estômago embrulhado.
I have a backache. – Estou com dor nas costas.
I have a toothache. – Estou com dor de dente.
» Veja No dentista - Frases-chave p. 74 e Vocabulário 16: No dentista p. 162
I have a earache. – Estou com dor de ouvido.
My nose is stuffed up. – Meu nariz está entupido.

1. Abreviação de influenza = gripe.

I have a heartburn. Estou com azia.
I have a pain in my leg/arm/chest. – Estou com dor na perna/no braço/no peito.
My... hurts. – Meu/minha... está doendo.
I have a stiff neck. – Estou com torcicolo.
I've noticed a lump here. – Notei um caroço aqui.
I'm feeling very weak. – Estou me sentindo muito fraco.
I can't move my ... – Não consigo mexer meu/minha...
I've burned my hand. – Queimei minha mão.
My... is swollen. – Meu/Minha... está inchado(a).
» Veja Vocabulário 14: O corpo p. 160

SENTINDO-SE DOENTE (C) – FEELING SICK (C)

I'm feeling dizzy. – Estou me sentindo tonto.
I think I'm going to faint. – Acho que vou desmaiar.
I can't breathe properly. – Não consigo respirar direito.
I feel like throwing up. – Sinto vontade de vomitar.
I ache all over. – Estou com o corpo inteiro doendo.
I need to go to the toilet. – Preciso ir ao toalete.
I'm pregnant. – Estou grávida.
I haven't had my period for... days. – Não fico menstruada há... dias.
I'm diabetic. – Sou diabético(a).
I don't like shots. – Não gosto de injeções.
I'm sweating a lot. – Estou suando muito.
I'm allergic to ... – Sou alérgico a ...
It's an emergency. – É uma emergência.
I have health insurance. – Eu tenho plano de saúde.

5.5 É melhor você fazer regime! (Diálogo) – You'd better go on a diet! (Dialogue)

🔊 Track 25

Greg: Gosh! I can't believe I've put on 5 pounds* in just one week!
Sean: That's the price you pay for eating junk food.
Greg: I know... I really need to go on a diet.
Sean: You should also exercise more often. I hardly see you working out these days. Anyway, make sure you see a doctor before you start any diet.
» Veja a tradução desse diálogo na p. 239
» *Veja Dica cultural 25 p. 106

5.6 Vocabulário ativo: De dieta – Active vocabulary: On a diet

TO GO ON A DIET: FAZER REGIME

OVERWEIGHT: COM EXCESSO DE PESO, ACIMA DO PESO IDEAL

Tom decided to go on a diet since he was overweight.
Tom decidiu fazer regime já que estava acima de seu peso ideal.

TO PUT ON WEIGHT/TO GAIN WEIGHT: ENGORDAR, GANHAR PESO

David has been putting on weight since he got married.
O David tem engordado desde que se casou.

TO LOSE WEIGHT: PERDER PESO, EMAGRECER

Jane has lost about ten pounds already since she started a new diet.
Jane já perdeu uns cinco quilos desde que começou uma nova dieta.
» Veja Dica cultural 25 p. 106

FAST FOOD: COMIDA PREPARADA E SERVIDA COM RAPIDEZ E QUE NORMALMENTE TAMBÉM PODE SER PEDIDA PARA VIAGEM OU PARA SER ENTREGUE EM CASA (EXS.: HAMBÚRGUER, PIZZA, ESFIRRA ETC.)

I'm sick of fast food. Let's go to a real restaurant this time!
Estou enjoado de fast food. Vamos a um restaurante de verdade dessa vez!

JUNK (FOOD): COMIDA QUE NÃO É SAUDÁVEL PORQUE CONTÉM MUITA GORDURA, AÇÚCAR ETC.; "PORCARIA"

You've been eating far too much junk (food) these days. How about a healthy meal for a change?
Você tem comido porcaria demais ultimamente. Que tal uma refeição saudável para variar?

TO FAST/FASTED/FASTED: FAZER JEJUM

Many people, like Muslims, fast for religious reasons.
Muitos povos, como os muçulmanos, fazem jejum por razões religiosas.

5.7 No dentista (Diálogo) - At the dentist's (Dialogue)

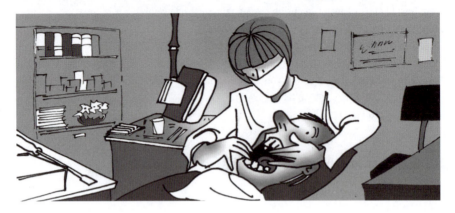

ⵊⵊⵊ Track 26

Dentist: So, what's the problem?
Patient: One of my teeth has been bugging me for a while now.
Dentist: You may have a cavity. When was the last time you saw a dentist?
Patient: About three years ago, I'm afraid. The thing is I panic when I hear the drill.
Dentist: Don't worry, you won't feel a thing. Just close your eyes and relax.
Patient: I'll try to.
» Veja a tradução desse diálogo na p. 239

5.8 No dentista (Frases-chave) - At the dentist's (Key phrases)

I have a toothache. - Estou com dor de dente.
» Veja Vocabulário 16: No dentista p. 162
I think I have a cavity. - Acho que tenho uma cárie.
I have a broken tooth. - Estou com um dente quebrado.
I've lost a filling. - Perdi uma obturação.
My teeth are very sensitive. - Meus dentes estão muito sensíveis.
My gums hurt. - Minhas gengivas estão doendo.
» Veja Vocabulário 16: No dentista p. 162

5.9 Mantendo-se em forma (Diálogo) – Keeping in shape (Dialogue)

ᴴᴵᴴ Track 27

Jake: Hey, you look like you're in shape!
Gary: Yep. I've been exercising regularly for a while now.
Jake: How often do you work out at the gym?
Gary: At least three times a week, but I also go jogging every morning.
Jake: You do? That's good. I wish I had time to do it myself.
Gary: Well, you have to make time for that. I used to have the same excuse myself. Just think about how important it is to have a healthy lifestyle.
Jake: I guess you're right!
» Veja a tradução desse diálogo na p. 240

5.10 Mantendo-se em forma (Frases-chave) – Keeping in shape (Key phrases)

MANTENDO-SE EM FORMA (A) – KEEPING IN SHAPE (A)

You look like you are in shape. – Você parece estar em forma.
You look like you are fit. – Você parece estar em forma.
You look like you are out of shape. – Você parece estar fora de forma.
How often do you work out? – Com que freqüência você malha?
How often do you go jogging/running? – Com que freqüência você corre?
» Veja Dica cultural 18 p. 76
Do you practice sports regularly? – Você pratica esportes com regularidade?
» Veja Vocabulário 10: Esportes p. 150
How often do you go to the gym/fitness center? – Com que freqüência você vai à academia?
What's your favorite sport? – Qual é o seu esporte preferido?
» Veja Vocabulário 10: Esportes p. 150

MANTENDO-SE EM FORMA (B) – KEEPING IN SHAPE (B)

» Veja Vocabulário 10: Esportes p. 150
I feel like I'm out of shape. – Sinto que estou fora de forma.
I used to play soccer when I was younger. – Eu jogava futebol quando era mais jovem.
I work out twice a week. – Eu malho duas vezes por semana.
I go to the gym three times a week. – Vou à academia três vezes por semana.
I run on the treadmill for an hour every day. – Eu corro na esteira por uma hora todos os dias.
I go jogging for an hour every day. – Eu corro uma hora todos os dias.
» Veja Dica cultural 18 p. 76
I do regular physical exercices every week. – Faço exercícios físicos regulares toda semana.

DICA CULTURAL 18 – CULTURAL TIP 18

Muitas pessoas acreditam que o termo **cooper**, incorporado ao português e amplamente usado, seja uma palavra de origem inglesa que significa "corrida". Na verdade a palavra **cooper** tem origem no nome do dr. Kenneth Cooper, médico norte-americano que preconizava a corrida como uma das melhores formas de manter-se saudável. Lembre-se que o equivalente em inglês à expressão "fazer cooper" é **go jogging** ou **go running**.

5.11 Dicas de um personal trainer (Diálogo) – Tips from a personal trainer (Dialogue)

Track 28

Tony: I feel like I'm out of shape. I really need to start an exercise program. What would you recommend?
Personal trainer: Well, if you haven't exercised in a long time, the best thing to do is have a medical check-up first.
Tony: Right. I was thinking of doing that.
Personal trainer: Good. If everything is okay with your medical examination you can then start

an exercise program slowly. Do you like jogging?
Tony: I do. The only thing is I get so tired after a few minutes.
Personal trainer: Sure you do. You're not fit. You need to start slowly and gradually increase.
» Veja a tradução desse diálogo na p. 240

5.12 Vocabulário ativo: Mantendo-se em forma – Active vocabulary: Keeping in shape

TO GO JOGGING/TO GO RUNNING: CORRER

Frank goes jogging/running three times a week.
Frank corre três vezes por semana.

TO WORK OUT: FAZER EXERCÍCIO FÍSICO, "MALHAR"

WORKOUT: EXERCÍCIO FÍSICO PARA MELHORAR A FORMA, GINÁSTICA

A regular workout would do you good. Have you thought about it?
Atividade física regular faria bem a você. Já pensou nisso?

PRACTICE: TREINO

Ralph has basketball practice every Thursday.
Ralph tem treino de basquete todas as quintas.

COACH: TREINADOR, TÉCNICO

"Being a good player takes a lot of practice and dedication", said the coach.
"É preciso muito treino e dedicação para ser um bom jogador", disse o treinador.

SNEAKERS: TÊNIS

Nick always wears comfortable sneakers to go jogging.
O Nick sempre usa tênis confortáveis para correr.

FIT/IN SHAPE: EM BOA FORMA FÍSICA

You look like you are in shape. What do you do to keep fit?
Você parece estar em boa forma física. O que você faz para manter a forma?

FITNESS: BOA FORMA, PREPARO FÍSICO

Have you been doing any exercises to improve your fitness?
Você tem feito exercícios para melhorar o preparo físico?
Do you know any good exercise program designed to improve fitness?
Você conhece algum programa de exercícios para melhorar o preparo físico?

AEROBICS: (GINÁSTICA) AERÓBICA

Nancy has been feeling a lot healthier since she started doing aerobics.
Nancy tem se sentido muito mais saudável desde que começou a fazer aeróbica.

PUSH-UP: FLEXÃO

SIT-UP: ABDOMINAL

A good exercise program should include a series of push-ups and sit-ups.
Um bom programa de exercícios deve incluir uma série de flexões e abdominais.

6. LAR DOCE LAR - HOME SWEET HOME

6.1 Um novo lugar para morar (Diálogo) - A new place to live (Dialogue)

Track 29

Helen: So, I heard you're moving.
Sharon: We are! We found a really nice apartment just one block from here. It's just perfect! It's got one extra bedroom and a bigger living room.
Helen: You really needed a little more space, right?
Sharon: We did. We didn't have room for anything else.
Helen: It's a great thing you're staying in the same neighborhood.
Sharon: Oh, yeah. We're so used to this neighborhood that we couldn't imagine ourselves living anywhere else.
Helen: Let me know if you need help with the move. You know Joe has a pick-up truck.
» Veja a tradução desse diálogo na p. 240

6.2 Um novo lugar para morar (Frases-chave) - A new place to live (Key Phrases)

We need a bigger apartment/house. - Precisamos de um apartamento/casa maior.
Our living room/kitchen is too small. - Nossa sala/cozinha é pequena demais.
» Veja Vocabulário 18: A casa p. 164
We don't have room for anything else. - Não temos espaço para mais nada.
» Veja Vocabulário 19: Coisas e objetos da sala de estar p. 164, Vocabulário 20: Coisas e objetos da cozinha p. 165, Vocabulário 21: Coisas e objetos de dormitório p. 166 e Vocabulário 22: Coisas e objetos do banheiro p. 167
Why don't you go to a real estate agency? - Por que você não vai a uma imobiliária?

6.3 Conversando com um corretor de imóveis (Frases-chave) – Talking to a real estate agent (Key phrases)

CONVERSANDO COM UM CORRETOR DE IMÓVEIS (A) – TALKING TO A REAL ESTATE AGENT (A)

We are looking for a three-bedroom apartment. – Estamos procurando um apartamento de três dormitórios.
»Veja Vocabulário 18: A casa p. 164
We'd like to move to a bigger apartment in the same neighborhood. – Gostaríamos de mudar para um apartamento maior no mesmo bairro.
We need a two-car garage. – Precisamos de uma garagem para dois carros.
Do you have any apartments for rent close to the subway in this neighborhood? – Você tem algum apartamento perto do metrô para alugar neste bairro?
How much is the average rent of three-bedroom apartments in this neighborhood? – Qual é o aluguel médio dos apartamentos de três dormitórios neste bairro?
Is this a quiet/safe neighborhood? – Este bairro é calmo/seguro?
Can you show us the three-bedroom apartments you have for sale in this neighborhood? – Você pode nos mostrar os apartamentos de três dormitórios que você tem à venda neste bairro?
»Veja Vocabulário 18: A casa p. 164

FALANDO COM UM CORRETOR DE IMÓVEIS (B) – TALKING TO A REAL ESTATE AGENT (B)

What price range do you have in mind? – Que faixa de preço você tem em mente?
The average rent of three-bedroom apartments in this region is $1,300.00. – O aluguel médio dos apartamentos de três dormitórios nesta região é $1.300,00.
The bedrooms in this apartment are very spacious. – Os dormitórios neste apartamento são bastante espaçosos.
»Veja Vocabulário 18: A casa p. 164
This is a very good neighborhood. – Este bairro é muito bom.
This is a quiet/safe/noisy/dangerous neighborhood. – Este bairro é calmo/seguro/barulhento/perigoso.
Let me give you a tour of the house/apartment. – Deixe eu te mostrar a casa/o apartamento.

6.4 Vocabulário ativo: Lar doce lar – Active vocabulary: Home sweet home

CONDO (ABREV. DE CONDOMINIUM): CONDOMÍNIO RESIDENCIAL

SUBURBS: SUBÚRBIO

Bob lives in a condo in the suburbs.
Bob mora em um condomínio no subúrbio.
»Veja Dica cultural 19 p. 84

SERVICE CHARGE: CONDOMÍNIO, TAXA MENSAL PAGA PELOS MORADORES DE PRÉDIOS EM TROCA DE SERVIÇOS PRESTADOS, COMO LIMPEZA, PORTARIA, FORNECIMENTO DE ÁGUA ETC.

Dave's apartment rent plus service charge works out to about one thousand dollars.
O aluguel e o condomínio do apartamento do Dave custam juntos mais ou menos mil dólares.

UTILITIES: SERVIÇO PÚBLICO (TERMO QUE SE REFERE AO FORNECIMENTO DE GÁS, ELETRICIDADE, ÁGUA OU LINHA TELEFÔNICA, MAS NÃO DE SERVIÇOS COMO PORTARIA E LIMPEZA)

How much do you pay for utilities at the new place where you are living?
Quanto você paga pelo fornecimento de eletricidade, água etc. no novo lugar onde está morando agora?

SUPER (ABREV. DE SUPERINTENDENT; E.U.A.)/JANITOR (EUA)/CARETAKER (INGL.): ZELADOR

Do you know where the super is? We seem to have a problem with the elevator.
Você sabe onde o zelador está? Parece que o elevador está com problemas.

ELEVATOR (EUA)/LIFT (INGL.): ELEVADOR

You have to take the stairs. The elevator is out of order.
Vocês têm de ir pela escada. O elevador está quebrado.

HOUSE: CASA

Kate has always lived in houses. She's never lived in an apartment building.
A Kate sempre morou em casas. Ela nunca morou em prédio de apartamentos.

HOME: CASA, LAR

Mark usually gets home from work late at night.
O Mark geralmente chega em casa do trabalho tarde da noite.

Obs.: A diferença entre as palavras house e home em inglês é que home se refere ao "lar, o lugar onde alguém reside" - lembre-se da sentença "Home sweet home" (lar doce lar). Já a palavra house faz referência à construção em si, que pode ser ocupada por um escritório, uma empresa ou servir de moradia.

MORTGAGE: HIPOTECA

Harry is sure happy now that he has paid off the mortgage on his house.
Harry deve estar contente agora que quitou a hipoteca da casa.

6.5 Meu afazer doméstico preferido (Diálogo) - My favorite household chore (Dialogue)

▶ Track 30

Bill: So you help your wife with the housework, right?
Dave: Sure. I try to do as much as I can. Actually my favorite chore is doing the dishes.
Bill: Do you have a maid?
Dave: No, we don't. We have a cleaner who comes twice a week to clean the house and wash the clothes.
Bill: That's a great help!
Dave: It is. You know, my wife has a part-time job and we have three kids, so she's got her hands full as it is.
Bill: I know what you mean!
» Veja a tradução desse diálogo na p. 240

6.6 Vocabulário ativo: Afazeres domésticos - Active vocabulary: Household chores

» Veja também Vocabulário 11: Afazeres domésticos e outras atividades p. 151

TO CLEAN/CLEANED/CLEANED: **LIMPAR**

CLEAN: **LIMPO, LIMPA, LIMPOS, LIMPAS**

CLEANER: **FAXINEIRA**

Can you help me clean the attic?
Você pode me ajudar a limpar o sótão?

TO DUST/DUSTED/DUSTED: **TIRAR O PÓ**

82

DUST: PÓ
DUSTY: EMPOEIRADO

Don't forget to dust the table please!
Não se esqueça de tirar o pó da mesa, por favor!
Those chairs look really dusty. Can you please dust them?
Aquelas cadeiras parecem realmente empoeiradas. Você pode tirar o pó delas, por favor?

TO SWEEP/SWEPT/SWEPT: VARRER

BROOM: VASSOURA

Can you please sweep the floor? The broom is over there.
Você pode por favor varrer o chão? A vassoura está ali.

TO TAKE THE GARBAGE OUT: LEVAR O LIXO PARA FORA

Larry takes the garbage out every night.
Larry leva o lixo para fora todas as noites.

TO DO THE DISHES/WASH THE DISHES: LAVAR OS PRATOS/A LOUÇA

One of my favorite household chores is doing the dishes.
Um dos meus afazeres domésticos preferidos é lavar os pratos.

TO IRON THE CLOTHES/PRESS THE CLOTHES: PASSAR AS ROUPAS

I've never ironed a shirt before.
Nunca passei uma camisa antes.

FLATIRON: FERRO DE PASSAR ROUPA

TO MOW THE LAWN: CORTAR A GRAMA (COM MÁQUINA)

I wish someone would help me mow the lawn!
Gostaria que alguém me ajudasse a cortar a grama!

LAWN-MOWER: MÁQUINA DE CORTAR GRAMA

TO VACUUM/VACUUMED/VACUMMED: PASSAR ASPIRADOR DE PÓ

Our maid vacuums the house once a week.
Nossa empregada passa aspirador na casa uma vez por semana.

VACUUM CLEANER: ASPIRADOR DE PÓ

HOUSEWORK: SERVIÇO DOMÉSTICO

Kate hates doing housework.
Kate detesta fazer serviço doméstico.

6.7 Você sempre morou em apartamento? (Diálogo) – Have you always lived in an apartment? (Dialogue)

Track 31

Linda: Have you always lived in an apartment?
Brian: Oh, no. I used to live in a big house in the **suburbs** before I got married.
Linda: So, it was quite a big change for you then.
Brian: It was pretty hard at the beginning, you know, I was used to a lot more space, but I've already gotten used to it now.
Linda: Do you think there are any advantages to living in an apartment?
Brian: Well, there are advantages and disadvantages, as with everything else in life. I guess one of the great advantages is the safety. When we travel we just need to lock one door and that's it. No more worries!
» Veja a tradução desse diálogo na p. 241

DICA CULTURAL 19 – CULTURAL TIP 19

A palavra **suburbs** em inglês não tem a conotação negativa freqüentemente atribuída à palavra "subúrbio" em português, referindo-se apenas às regiões mais distantes do centro.

6.8 Problemas com o apartamento (Diálogo) – Problems with the apartment (Dialogue)

Track 32

Stuart: I'm getting tired of living in this apartment.
Nick: What's wrong?
Stuart: Well, for a start the kitchen sink keeps getting clogged.
Nick: Have you had a plumber take a look at it yet?
Stuart: I have, twice already! But a few days after it's fixed it starts again.
Nick: This is really an old apartment.
Stuart: I know. And there's something wrong with the bathroom drain as well.
Nick: I'll be straight with you. If I were in your shoes I would start looking for another apartment.
» Veja a tradução diálogo na p. 241

6.9 Problemas com o apartamento (Frases-chave) – Problems with the apartment (Key phrases)

PROBLEMAS COM O APARTAMENTO (A) – PROBLEMS WITH THE APARTMENT (A)

My kitchen sink is clogged. – A pia da minha cozinha está entupida.
» Veja Vocabulário 20: Coisas e objetos da cozinha p. 165

The toilet is clogged. – A privada está entupida.
» Veja Vocabulário 22: Coisas e objetos do banheiro p. 167
I can't seem to flush the toilet. – Não consigo dar descarga.
The elevator/washing machine is out of order. – O elevador/a máquina de lavar está quebrado(a).
The faucet (EUA)/tap (Inglaterra) is dripping badly. – A torneira está pingando muito.
The tap/faucet is leaking. – A torneira está vazando.
There seems to be something wrong with the drain. – Parece haver algo errado com o ralo.
The air-conditioner/heating is not working properly. – O ar-condicionado/aquecimento não está funcionando direito.
There is a leak on the ceiling. – Tem um vazamento no teto.

PROBLEMAS COM O APARTAMENTO (B) – **PROBLEMS WITH THE APARTMENT (B)**
What's wrong with the washing machine/vacuum cleaner? – Qual é o problema com a máquina de lavar roupa/o aspirador de pó?
What's the matter with the air-conditioning? – Qual é o problema com o ar-condicionado?
Can you fix it? – Você consegue consertá-lo?
Can you unclog the sink/the toilet? – Você pode desentupir a pia/a privada?
We'd better call in a plumber. – É melhor chamarmos um encanador.
We need to have the walls painted. – Precisamos mandar pintar as paredes.
The floor needs to be fixed. – O piso precisa ser consertado.
There seems to be a gas leak. – Parece haver um vazamento de gás.

6.10 Vida familiar (Diálogo) – Family life (Dialogue)

Track 33
Kate: So, Brian, do you have a big family?
Brian: I do. I have two brothers and one twin sister.
» Veja Vocabulário 5: Relações familiares p. 146

Kate: A twin sister, how interesting!
Brian: Yeah, but we don't really look so much alike.
Kate: Do you see all of them very often?
Brian: No, not really. One of my brothers lives far away so I see him only once a year. I see my other brother and sister more often, though. Anyway, the whole family gets together at least once a year, usually at **Thanksgiving**.
» Veja a tradução desse diálogo na p. 241

DICA CULTURAL 20 – CULTURAL TIP 20

O **Thanksgiving** ou **Thanksgiving Day** é o Dia de Ação de Graças, feriado nacional nos Estados Unidos, comemorado na quarta quinta-feira de novembro. Esta é uma das datas mais importantes para os norte-americanos, talvez mais até que o Natal, e nessa ocasião as famílias se reúnem para uma refeição tradicional em que o prato principal é o **roast turkey** (peru assado).

7. NO TRABALHO - AT WORK

7.1 Dois amigos falando sobre trabalho (Diálogo) - Two friends talking about work (Dialogue)

🎧 **Track 34**

Eric: What's the matter? You look upset.
Larry: As a matter of fact I am. I'm tired of doing the same boring things at work, day in day out. You know, filling out forms and stuff.
Eric: Have you thought about looking for another job?
Larry: Sure, I've been taking a look at the job ads in the newspaper lately.
Eric: What kind of job do you have in mind?
Larry: I don't know. Something more challenging. I'm just tired of the same routine work all day long.
Eric: I know what you mean.
» Veja a tradução desse diálogo na p. 242

7.2 Falando sobre trabalho (Frases-chave) - Talking about work (Key phrases)

FALANDO SOBRE TRABALHO (A) - TALKING ABOUT WORK (A)

What do you do? - O que você faz?
» Veja Vocabulário 1: Ocupações p. 139
What do you do for a living? - O que você faz para viver?
What kind of job do you have? - Que tipo de emprego você tem?
Do you like your job? - Você gosta do seu emprego?
Do you enjoy what you do? - Você gosta do que faz?
Why don't you look for another job? - Por que você não procura um outro emprego?

FALANDO SOBRE TRABALHO (B) – TALKING ABOUT WORK (B)

I'm a(n)... – Eu sou...
» Veja Vocabulário 1: Ocupações p. 139
I'm in advertising/sales/marketing/etc. – Eu trabalho com publicidade/vendas/marketing/etc.
I love my job. – Adoro meu trabalho.
I'm tired of the daily routine at work – Estou cansado da rotina diária no trabalho.
I can't stand my boss. – Não suporto meu chefe.
I hate my job. – Odeio meu emprego.
» Veja Falando sobre como você se sente - Frases-chave p. 121
I've been thinking of changing jobs. – Tenho pensado em mudar de emprego.

7.3 Você precisa diminuir o ritmo! (Diálogo) – You need to slow down! (Dialogue)

Track 35

Ralph: You look pale. Are you feeling okay?
Dick: Not really.
Ralph: Why don't you take the rest of the day off and relax?
Dick: I think I'll do that. I've been under a lot of stress lately.
Ralph: Sometimes we just need to slow down, you know...
Dick: I guess you're right! Thank you.
» Veja a tradução desse diálogo na p. 242

7.4 Você precisa diminuir o ritmo! (Frases-chave) – You need to slow down! (Key phrases)

TRABALHO DEMAIS! – TOO MUCH WORK!

I've got a pretty tight schedule today. – Estou com a agenda bem cheia hoje.
I'm up to my neck in work. – Estou cheio de trabalho hoje.
I'm swamped (with work). – Estou atolado em trabalho.
I'm busy right now. – Estou ocupado no momento.
I'm tied up at the moment. – Estou muito ocupado no momento.
Can we talk some other time? – Podemos conversar outra hora?

HORA DE FAZER UMA PAUSA – TIME FOR A BREAK

Let's have a break. – Vamos fazer uma pausa.
Let's call it a day. – Vamos dar o dia por encerrado./Vamos parar por aqui.
I really need to unwind. – Eu preciso mesmo relaxar.
I badly need a vacation. – Preciso muito de umas férias.
I need some days off. – Preciso de alguns dias livres/de descanso.

I haven't had a vacation in a long time. – Não tenho férias há um bom tempo.

7.5 Uma entrevista de emprego (Diálogo) - A job interview (Dialogue)

Track 36

Interviewer: So, I see from your résumé that you've been in advertising for over ten years already.
Interviewee: That's right. I started to work in advertising right after I graduated from college.
Interviewer: What do you like most about advertising?
Interviewee: Well, I enjoy the creative part of it mostly. I've always liked to think up logos and slogans ever since I was a kid.
Interviewer: And why would you like to work with us?
Interviewee: I feel that with my experience in the field I could definitely contribute to ideas for new products and advertising campaigns.
Interviewer: You know we manufacture winches. Are you familiar with this line of products?
Interviewee: I've never really worked with winches, but I'm sure I can learn all about them in no time. Besides that, it would be a challenge to work with a new product.
Interviewer: I see...
» Veja a tradução desse diálogo na p. 242

7.6 Uma entrevista de emprego (Frases-chave) - A job interview (Key phrases)

PERGUNTAS DO ENTREVISTADOR - INTERVIEWER'S QUESTIONS

» Veja Vocabulário ativo: Trabalho e carreira p. 92
Are you currently working somewhere? – Você está trabalhando em algum lugar atualmente?

Why do you want to change jobs? – Por que você quer trocar de emprego?
What kind of background do you have? – Que tipo de formação você tem?
Can you tell me a little about your experience in this area/field? – Você poderia me contar um pouco sobre sua experiência nesta área?
Why would you like to work with us? – Por que você gostaria de trabalhar conosco?
How do you think you could contribute to our company? – Como você acha que poderia contribuir para a nossa empresa?
What are your main qualities in your opinion? – Quais são suas principais qualidades na sua opinião?
» Veja Descrevendo traços de personalidade – Frases-chave p. 107
Why did you leave/quit your previous job? – Por que você largou o seu emprego anterior?
Do you find it easy to get along with people? – Você acha fácil relacionar-se com pessoas?
How do you feel about teamwork? – Como você se sente em relação a trabalhar em equipe?

PERGUNTAS E FRASES DO ENTREVISTADOR – INTERVIEWER'S QUESTIONS AND PHRASES

» Veja Vocabulário ativo: Trabalho e carreira p. 92
What kind of work do you enjoy doing mostly? – Que tipo de trabalho você mais gosta de fazer?
What sort of work do you find boring? – Que tipo de trabalho você acha chato?
Can you cope well with pressure? – Você consegue lidar bem com pressão?
What are your main strengths/weaknesses? – Quais são seus principais pontos fortes/fracos?
How do you see yourself professionaly ten years from now? – Como você se vê profissionalmente daqui há dez anos?
Can you tell me a little about your computer skills? – Você pode me falar um pouco sobre a sua habilidade com computadores?
Do you speak any other languages fluently? – Você fala outros idiomas fluentemente?
Have you ever traveled abroad on business? – Você já viajou para o exterior a negócios?
We'll keep your résumé in our databank and get in touch with you as soon as we have an opening. – Manteremos o seu currículo no nosso banco de dados e entraremos em contato com você assim que tivermos uma vaga disponível.
How soon can you start working with us? – Quando você pode começar a trabalhar conosco?

RESPOSTAS E COMENTÁRIOS DO ENTREVISTADO (A) – INTERVIEWEE'S ANSWERS AND COMMENTS (A)

» Veja Vocabulário ativo: Trabalho e carreira p. 92
I've been in sales/marketing/computers/advertising/etc. for a long time. – Eu trabalho com vendas/marketing/computadores/propaganda/etc. há muito tempo.
I've heard only good things of your company, and since it's one of the market leaders I'd be really excited to work here. – Eu só ouvi falar coisas boas da sua empresa, e como ela é uma das líderes de mercado eu me sentiria realmente motivado em trabalhar aqui.
I feel that with my previous experience in the field, dedication and hard work I could really contribute to your company. – Sinto que com minha experiência anterior na área, dedicação e bastante trabalho eu poderia realmente contribuir para a sua empresa.

I'm a dynamic/motivated/dedicated/hard-working/etc. person. – Sou uma pessoa dinâmica/motivada/dedicada/trabalhadora/etc.
» Veja Descrevendo traços de personalidade – Frases-chave p. 107
I learned a lot at my previous job, but I decided it was time for me to have other experiences. – Eu aprendi bastante no meu emprego anterior, mas resolvi que estava na hora de ter outras experiências.
I'm really willing to learn more and accept challenges. – Estou realmente disposto a aprender mais e aceitar desafios.
I find it easy to get along with people. – Tenho facilidade de me relacionar com as pessoas.
I feel very comfortable dealing with people. – Sinto-me muito à vontade lidando com pessoas.

RESPOSTAS E COMENTÁRIOS DO ENTREVISTADO (B) – INTERVIEWEE'S ANSWERS AND COMMENTS (B)

» Veja Vocabulário ativo: Trabalho e carreira p. 92

I enjoy the administrative/creative part of the job mostly. – Eu gosto da parte administrativa/criativa do serviço.
I really like managing people. – Eu realmente gosto de gerenciar pessoas.
I usually do very well in stressful situations. – Eu normalmente me saio muito bem em situações estressantes.
I've worked in that kind of environment before. – Já trabalhei nesse tipo de ambiente antes.
I was responsible for implementing... – Fui responsável por implementar...
I was in charge of... – Fui responsável por...
I feel one of my strong points is managing people. – Sinto que um de meus pontos fortes é gerenciar pessoas.
I have very good computer skills. – Minha habilidade com computadores é muito boa.
I can use spreadsheets, word processors and all the major software very well. – Sei usar muito bem planilhas, processadores de texto e todos os principais programas.
I speak English/Spanish/French/etc. fluently. – Falo inglês/espanhol/francês/etc. fluentemente.
I can get by with my Spanish/German. – Consigo me virar com o meu espanhol/alemão.
I've been to the United States on business twice. – Estive nos Estados Unidos a negócios duas vezes.
I've been to trade shows in Canada and England. – Já estive em feiras comerciais no Canadá e na Inglaterra.
Can I think it over and give you an answer in a few days? – Posso pensar um pouco mais e te dar uma resposta em alguns dias?
I can start immediately. – Posso começar imediatamente.

PERGUNTAS DO ENTREVISTADO – INTERVIEWEE'S QUESTIONS

» Veja Vocabulário ativo: Trabalho e carreira p. 92
How long has the company been in the market? – Há quanto tempo a empresa está no mercado?
Do you have branch offices in other places? – Vocês têm filiais em outros lugares?

Do you have many competitors? – Vocês têm muitos concorrentes?
Does the job require a lot of travelling? – É preciso viajar muito nesta função?
What are the hours like? – Qual é o horário de trabalho?
What kinds of benefits does the company provide? – Que tipo de benefícios a empresa oferece?
How long a vacation are the employees entitled to? – A quanto tempo de férias os funcionários têm direito?
What about career plan, does the company offer promotion opportunities? – E com relação a plano de carreira, a empresa oferece oportunidades de promoção?
What would be the initial salary for this position? – Qual seria o salário inicial para este cargo?
Who would I report to? – A quem eu me reportaria?
Does the company offer any training and development programs? – A empresa oferece programas de treinamento e desenvolvimento?
When would you expect me to start? – Quando vocês gostariam que eu começasse?

7.7 Vocabulário ativo: Trabalho e carreira – Active vocabulary: Work and career

TO HIRE/HIRED/HIRED – TO EMPLOY/EMPLOYED/EMPLOYED: CONTRATAR, EMPREGAR

If demand keeps up we'll need to hire a new assistant soon.
Se a demanda se mantiver em alta precisaremos contratar um novo assistente em breve.
Andy was employed by a competitor of the company he used to work for.
Andy foi contratado por um concorrente da empresa para a qual ele trabalhava.

TO FIRE/FIRED/FIRED – TO DISMISS/DISMISSED/DISMISSED – TO LAY OFF/LAID OFF/LAID OFF: DEMITIR, DESPEDIR

That factory had to fire some people due to their financial crisis.
Aquela fábrica teve que despedir algumas pessoas devido à crise financeira.
Most of the employees laid off were hired again after the company bounced back from its crisis.
A maioria dos funcionários demitidos foi recontratada depois que a empresa se recuperou da crise financeira.

EMPLOYER: EMPREGADOR(A), EMPRESA QUE EMPREGA

That car factory is the largest employer in the region.
Aquela fábrica de automóveis é a maior empregadora na região.

EMPLOYEE: EMPREGADO(A), FUNCIONÁRIO(A)

Three new employees have just been hired for the sales department.
Três novos funcionários acabaram de ser contratados para o departamento de vendas.
EMPLOYMENT AGENCY: AGÊNCIA DE EMPREGOS

Sally decided to go to an employment agency and look for another job.
Sally decidiu ir a uma agência de empregos procurar um outro trabalho.

CO-WORKER/COLLEAGUE: COLEGA DE TRABALHO

CAFETERIA: REFEITÓRIO SELF-SERVICE EM EMPRESAS, ESCOLAS, HOSPITAIS ETC.

Paul usually has lunch with his co-workers at the company cafeteria.
Paul geralmente almoça com os colegas de trabalho no refeitório da empresa.

HUMAN RESOURCES DEPARTMENT (HR): DEPARTAMENTO DE RECURSOS HUMANOS (RH)

Ray got a job in the human resources department of a big firm.
Ray arrumou um emprego no departamento de recursos humanos de uma grande empresa.

FULL-TIME: DE PERÍODO INTEGRAL (ADJ.); EM PERÍODO INTEGRAL (ADV.)

Dave works full-time in an advertising agency.
Dave trabalha em uma agência de publicidade em período integral.

PART-TIME: DE MEIO EXPEDIENTE (ADJ.), DE MEIO PERÍODO; EM MEIO EXPEDIENTE (ADV.)

Jane is looking for a part-time job.
Jane está procurando um emprego de meio período.

DAY OFF: DIA DE FOLGA

What do you usually do on your day off?
O que você geralmente faz no seu dia de folga?

SHIFT: TURNO DE TRABALHO

How many employees work on the night shift?
Quantos funcionários trabalham no turno da noite?
I've worked a double shift and I'm really tired out. I just want to go home and sleep.
Trabalhei em turno dobrado e me sinto exausto. Só quero ir para casa dormir.

MATERNITY LEAVE: LICENÇA-MATERNIDADE

Jennifer is on maternity leave and will only return to work four months from now.
Jennifer está de licença-maternidade e só vai voltar para o trabalho daqui a quatro meses.

WORKAHOLIC: VICIADO EM TRABALHO, WORKAHOLIC

It's no wonder Andy's friends call him a workaholic. All he thinks of is work!
Não é de admirar que os amigos de Andy o chamem de workaholic. Ele só pensa em trabalho!

TO GIVE NOTICE: DAR AVISO PRÉVIO

Leaving a job without giving notice is not a professional thing to do.
Deixar um emprego sem dar aviso prévio não é uma atitude profissional.

FRINGE BENEFITS: BENEFÍCIOS ADICIONAIS

The fringe benefits pack includes a company car and health insurance.
O pacote de benefícios adicionais inclui um carro e plano de saúde.

PENSION PLAN: PLANO DE APOSENTADORIA

Among other fringe benefits, the company offers their employees a private pension plan.
Entre outros benefícios a empresa oferece a seus funcionários um plano de aposentadoria privado.

PERKS: BENEFÍCIOS EXTRAS OFERECIDOS POR UMA EMPRESA, MORDOMIAS

The salary is not that good, but the perks are great.
O salário não é lá essas coisas, mas as mordomias são ótimas.

PROMOTION OPPORTUNITIES: OPORTUNIDADES DE PROMOÇÃO

A bigger company can usually offer more promotion opportunities than a smaller one.
Uma empresa maior normalmente oferece mais oportunidades de promoção do que uma menor.

CAREER PLAN: PLANO DE CARREIRA

The career plan offered by that company seems really interesting.
O plano de carreira oferecido por aquela empresa parece mesmo interessante.

TO APPLY FOR A JOB: CANDIDATAR-SE A UM EMPREGO

POSITION: CARGO

You have the qualifications required for the position. Why don't you apply for that job?
Você tem as qualificações exigidas para o cargo. Por que você não se candidata àquele emprego?

APPLICANT: CANDITATO(A)

Most of the applicants we have interviewed so far are not qualified for the position.
A maioria dos candidatos que entrevistamos até agora não é qualificada para o cargo.

OPENINGS: EMPREGOS DISPONÍVEIS, VAGAS

Do you know if that company has any openings right now?
Você sabe se aquela empresa tem empregos disponíveis no momento?

RÉSUMÉ: CURRÍCULO, CURRICULUM VITAE, CV

Can you please e-mail us your résumé?
Você pode nos enviar seu currículo por e-mail?

TO RETIRE/RETIRED/RETIRED: APOSENTAR-SE

RETIREE: APOSENTADO

Mr. Dalton Jr. took over as general director since Mr. Dalton retired.
O sr. Dalton Jr. assumiu como diretor-geral desde que o sr. Dalton aposentou-se.

7.8 O que você acha do novo produto? (Diálogo) – What do you think about the new product? (Dialogue)

▶ Track 37

Matt: So, what do you think about the new product?
Rick: I think it's great. The fragrance is unique. There's a big market for this kind of perfume out there. I'm sure it will appeal to all women.
Matt: I'm really excited about it. How do you think we should go about marketing it?
Rick: Well, to start with, I think we should stick some ads in magazines and maybe even billboards.*
Matt: I agree. I can't wait for our meeting with the marketing team tomorrow.
» Veja a tradução desse diálogo na p. 242
» *Veja Dica cultural 1 p. 21

7.9 Falando sobre um novo produto ou idéia (Frases-chave) – Talking about a new product or idea (Key phrases)

My first impression is... – A minha primeira impressão é...
I think it's a great product. – Acho que é um produto ótimo.
I think it can work. – Acho que pode dar certo.
I'm really excited about the launch of this new product. – Estou realmente entusiasmado com o lançamento deste novo produto.
The idea is really interesting. – A idéia é realmente interessante.
I think it will sell like hot cakes. – Acho que vai vender que nem água.
I think the idea is fantastic. – Acho a idéia fantástica.
How much do you think we need to invest...? – Quanto você acha que temos que investir...?

7.10 Vocabulário ativo: uma reunião de negócios – Active vocabulary: A business meeting

» Veja também Vocabulário ativo: O dinheiro movimenta o mundo p. 102 e Vocabulário ativo: Usando computadores p. 127

AGENDA: AGENDA, PAUTA

What's next on the agenda?
Qual é o próximo item na pauta?

HEAD OFFICE: MATRIZ, SEDE

Where is the head office of your company?
Onde fica a sede da sua empresa?

BRANCH OFFICE: FILIAL

Our company has branch offices in the most important cities of the country.
Nossa empresa tem filiais nas cidades mais importantes do país.

CORE BUSINESS: ATIVIDADE PRINCIPAL DE UMA EMPRESA

TO OUTSOURCE/OUTSOURCED/OUTSOURCED: TERCEIRIZAR

OUTSOURCING: TERCEIRIZAÇÃO

The company's strategy is to concentrate on their core business and outsource other departments.
A estratégia da empresa é focar na atividade principal e terceirizar os outros departamentos.

MARKET SHARE: PARTICIPAÇÃO DE MERCADO

Our company's market share has been increasing since we adopted a new sales strategy.
A participação de mercado de nossa empresa vem aumentando desde que adotamos uma nova estratégia de vendas.

COMPETITOR: CONCORRENTE, EMPRESA CONCORRENTE

Does your company have many competitors?
A sua empresa tem muitos concorrentes?

COMPETITION: CONCORRÊNCIA

The competition between the two leading car manufacturers is really fierce.
A concorrência entre os dois principais fabricantes de automóveis é realmente acirrada.

TO ACQUIRE/ACQUIRED/ACQUIRED: ADQUIRIR, COMPRAR

That company's growth strategy is to gradually acquire smaller businesses.
A estratégia de crescimento daquela empresa é adquirir gradualmente negócios menores.

ACQUISITION: AQUISIÇÃO

Their latest acquisition was a software company in Chicago.
A aquisição mais recente deles foi uma empresa de software em Chicago.

TO MERGE/MERGED/MERGED: UNIR(-SE), FUNDIR(-SE)

The two companies decided to merge.
As duas empresas decidiram fundir-se.

MERGER: FUSÃO DE EMPRESAS

Profits have more than doubled since the merger.
Os lucros mais do que dobraram desde a fusão.

POLICY: POLÍTICA, NORMA DE CONDUTA

What's the company's policy regarding sexual harassment?
Qual é a política da empresa com relação a assédio sexual?

TO LAUNCH A PRODUCT: LANÇAR UM PRODUTO

Has your company launched any new products this year?
A sua empresa lançou algum produto novo este ano?

LAUNCH: LANÇAMENTO

We should be able to do the launch of the new product next semester if everything runs smoothly.
Nós devemos conseguir fazer o lançamento do novo produto no próximo semestre se tudo correr bem.

ADVERTISING CAMPAIGN: CAMPANHA PUBLICITÁRIA

"I think the advertising campaign should also include billboards", said Roger at the meeting.
"Eu acho que a campanha publicitária deveria incluir também outdoors", disse Roger na reunião.

TO ADVERTISE/ADVERTISED/ADVERTISED: ANUNCIAR, FAZER PUBLICIDADE, DIVULGAR

How do you plan to advertise this new product?
Como vocês planejam divulgar o novo produto?

SAMPLE: AMOSTRA

Can you send us some samples of your products?
Você pode nos enviar algumas amostras dos seus produtos?

TRADE SHOW/TRADE FAIR: FEIRA COMERCIAL, FEIRA DE NEGÓCIOS

Our company will have a booth at the international trade show in Toronto this year.
Nossa empresa vai ter um estande na feira internacional de negócios em Toronto este ano.

BUDGET: ORÇAMENTO

The financial department is in charge of the company's budgets.
O departamento financeiro é responsável pelos orçamentos da empresa.

TO BREAK EVEN: **ALCANÇAR O PONTO DE EQUILÍBRIO**

How long did it take that new business to break even?
Quanto tempo levou para aquele novo negócio alcançar o ponto de equilíbrio?

BREAK-EVEN POINT: **PONTO DE EQUILÍBRIO**

It took that company a little over a year to just reach the break-even point.
Aquela empresa levou pouco mais de um ano apenas para alcançar o ponto de equilíbrio.

SHAREHOLDER: **ACIONISTA**

The shareholders seemed to be pleased with the results presented in the meeting.
Os acionistas pareciam estar satisfeitos com os resultados apresentados na reunião.

SALES GOALS: **METAS DE VENDAS**

Our team of salesmen has been able to reach the sales goals for the third quarter.
Nossa equipe de vendas conseguiu alcançar as metas de vendas para o terceiro trimestre.

7.11 Você pode pedir para ele retornar a ligação? (Diálogo) - Can you ask him to call me back? (Dialogue)

ᵈᵘᵈᵘ Track 38

Operator: Viacom International, Helen speaking, good morning!
Paul: Good morning. May I speak to Mr. Rogers, please?
Operator: Just a moment. I'll put you through to his secretary.
Paul: Thank you.
Secretary: Hello.
Paul: Oh, hi. Can I speak to Mr. Rogers, please?
Secretary: Can you hold on, please? He's talking to someone else on the other line.
Paul: Ok.
(A few seconds later...)

Secretary: He's still busy. Would you like to leave a message?
Paul: Oh, yes, please. My name is Paul Harris. Can you tell him to call me back?
Secretary: Sure. Does he have your phone number, sir?
Paul: I think so, but let me give it to you just to be on the safe side. It's 372-0984.
Secretary: 3-7-2-0-9-8-4.
Paul: That's right. Thank you!
Secretary: You're welcome, sir.
» Veja a tradução desse diálogo na p. 243

7.12 Fazendo uma ligação (Frases-chave) – Making a phone call (Key phrases)

PEDINDO AJUDA À TELEFONISTA – ASKING THE OPERATOR FOR HELP

» Veja Vocabulário ativo: Ligações telefônicas p. 100
I'd like to make a phone call to Brazil. – Gostaria de fazer uma ligação para o Brasil.
» Veja Dica cultural 5 p. 35
I'd like to make a collect call to... – Gostaria de fazer uma ligação a cobrar para...
I can't get through to... – Não consigo ligar para...
Can you please help me call Brazil? – Você pode, por favor, me ajudar a ligar para o Brasil?
What's the area code for São Paulo/Rio de Janeiro/etc.? – Qual é o código de área de São Paulo/Rio de Janeiro/etc.?
Can you speak slowly, please? – Você pode falar devagar, por favor?

LIGAÇÕES TELEFÔNICAS: FRASES USUAIS (A) – PHONE CALLS: USUAL PHRASES (A)

» Veja Vocabulário ativo: Ligações telefônicas p. 100
Who is calling, please? – Quem está ligando, por favor?
May I ask who's calling and what this is regarding? – Quem gostaria de falar e qual é o assunto, por favor?
Hold on a second, please. – Espere um segundo, por favor.
Hang on a second, please. – Espere um segundo, por favor.
I'll put you through to... – Vou transferir você para...
I'll transfer your call. – Vou transferir sua ligação.
The line is busy. – A linha está ocupada.
I'll put you on hold. – Vou colocar você na espera.
Can you call me back later? – Você pode me ligar depois?
I'll call you back later. – Te ligo mais tarde.
Would you like to leave a message? – Você gostaria de deixar um recado?
Sorry, I think you have the wrong number. – Desculpe, acho que você está com o número errado.

LIGAÇÕES TELEFÔNICAS: FRASES USUAIS (B) – PHONE CALLS: USUAL PHRASES (B)

» Veja Vocabulário ativo: Ligações telefônicas p. 100

Hello, this is Paul/Mary speaking. – Alô, aqui quem está falando é o Paul/a Mary.
I'm calling about... – Estou ligando a respeito de...
I'm calling on behalf of... – Estou ligando em nome de...
Is Mr. Smith/Susan in? – O Sr. Smith/A Susan está?
Can you please tell him/her to call me back? – Você pode pedir a ele(a) para retornar minha ligação?
Sorry, this is a bad line, can I call you back? – Desculpe, a ligação está péssima, posso te ligar de volta?
I left a message on your answering machine. – Deixei um recado na sua secretária eletrônica.
Please, don't hang up. – Por favor, não desligue.
Sorry, wrong number! – Desculpe, foi engano!

7.13 Vocabulário ativo: Ligações telefônicas – Active vocabulary: Phone calls

TO DIAL/DIALED/DIALED: DISCAR, LIGAR

Whenever you have an emergency, dial 911 for help.
Sempre que tiver uma emergência, ligue para 911 e peça ajuda.

TO ANSWER THE PHONE/TO GET THE PHONE: ATENDER O TELEFONE

Can you get the phone, please?
Você pode atender o telefone, por favor?

ANSWERING MACHINE: SECRETÁRIA ELETRÔNICA

Bob left a message on Susan's answering machine.
O Bob deixou um recado na secretária eletrônica da Susan.

TO CALL SOMEONE BACK: LIGAR DE VOLTA, RETORNAR UMA LIGAÇÃO

I'm kind of busy right now. Can I call you back later?
Estou meio ocupado agora. Posso te ligar de volta mais tarde?

TO HANG UP: DESLIGAR O TELEFONE AO FINAL DE UMA CONVERSA, COLOCAR O TELEFONE NO GANCHO

"Don't hang up, please", said the operator.
"Não desligue, por favor", disse a telefonista.

TO HANG UP ON SOMEBODY: DESLIGAR O TELEFONE NA CARA DE ALGUÉM

I still can't believe she hung up on me like that!
Ainda não consigo acreditar que ela desligou o telefone na minha cara daquele jeito!

TO GET CUT OFF: A LIGAÇÃO CAIU

I was talking to Jerry on the phone when all of a sudden we got cut off.
Estava falando com o Jerry no telefone quando de repente a ligação caiu.

EXTENSION (NUMBER): RAMAL

You have reached XYZ International. Please dial the extension (number), wait for assistance or press three and leave a message after the beep/tone.
Você ligou para XYX International. Por favor disque o ramal desejado, espere para ser atendido ou tecle três e deixe um recado depois do bipe.

LONG DISTANCE CALL: INTERURBANO

I need to make a long distance call. Do you know if there's a pay phone near here?
Preciso fazer um interurbano. Você sabe se tem um telefone público aqui perto?

CELL PHONE (EUA)/MOBILE (INGL.): TELEFONE CELULAR

Have you seen my cell phone around? I don't know where I left it.
Você viu o meu celular por aí? Não sei onde eu o deixei.

SPEAKERPHONE: VIVA-VOZ

Just a second. I'll put you on speakerphone so everyone can hear you.
Só um segundo. Vou colocar você no viva-voz para todos lhe ouvirem.

7.14 O dinheiro movimenta o mundo (Diálogo) – Money makes the world go round (Dialogue)

Track 39

Jason: I sometimes wonder about the future of money.
Liam: What do you mean?
Jason: If money will ever disappear, I mean bills and coins, and if something else is going to replace them.
Liam: Well, an increasing number of people have been using only credit cards lately.
Jason: That's definitely a trend, but I think something else is going to happen. I mean, with all the new technological devices being developed today, we'll probably be dealing with money in an electronical way some years from now.
Liam: Yeah, that may certainly happen, but in any case money will always play a major role in our lives, you know, money makes the world go round.

» Veja a tradução desse diálogo na p. 243

> **DICA CULTURAL 21 – CULTURAL TIP 21**
> O cartão de crédito é a forma de pagamento mais utilizada nos Estados Unidos em estabelecimentos comerciais, hotéis, postos etc. Assim, esteja atento a uma pergunta freqüentemente empregada pelos atendentes de loja: **Cash or charge**? (Dinheiro ou cartão?).

7.15 Sem tempo para passar em um caixa eletrônico (Diálogo) – No time to stop by an ATM (Dialogue)

Track 40

Ted: Hey Mark. Can you lend me twenty bucks?*
Mark: Sure. What do you need it for?
Ted: I'll tell you later. I'm in a hurry now and I don't have time to stop by an ATM[1] to get some cash. I'll pay you back tomorrow.
Mark: No problem!

» Veja a tradução desse diálogo na p. 244
» *Veja Dica Cultural 22 a seguir.

> **DICA CULTURAL 22 – CULTURAL TIP 22**
> O **cent** (centavo) é equivalente à centésima parte do **dollar** (dólar). Veja abaixo as moedas usadas nos Estados Unidos:
> **Penny** = 1 cent (moeda de um centavo)
> **Nickel** = 5 cents (moeda de 5 centavos)
> **Dime** = 10 cents (moeda de 10 centavos)
> **Quarter** = 25 cents (moeda de 25 centavos)
> Já as cédulas utilizadas nos Estados Unidos são de 1, 2 (rara), 5, 10, 20, 50 e 100 dólares. É importante também destacar que os norte-americanos costumam usar a palavra informal **buck** para se referir ao dólar – por exemplo **ten bucks** (dez dólares).
> Na Inglaterra a unidade monetária é o **pound** (libra). A centésima parte do **pound** é o **penny** (**pence**, no plural). Os ingleses usam informalmente o termo **quid** (**quid**, no plural também) para se referir à libra, por exemplo **four quid** (quatro libras), e a abreviação **p** (pronunciada como a letra do alfabeto) para se referir a **pence** – por exemplo, **five p** (**five pence**).

7.16 Vocabulário ativo: O dinheiro movimenta o mundo – Active vocabulary: Money makes the world go round

CURRENCY: **MOEDA CORRENTE**

The Canadian dollar is the currency in Canada.
O dólar canadense é a moeda corrente no Canadá.

1. ATM (Automated Teller Machine): caixa eletrônico de banco.

TO LEND/LENT/LENT: EMPRESTAR DINHEIRO OU OUTRAS COISAS

Can you lend me fifty bucks? I'll pay you back tomorrow.
Você pode me emprestar cinqüenta dólares? Pago de volta amanhã.
Could you lend me your pen for a second?
Você podia me emprestar sua caneta por um segundo?

TO BORROW/BORROWED/BORROWED: PEDIR EMPRESTADO (DINHEIRO OU QUALQUER OUTRA COISA)

We've run out of money. We need to borrow some.
Nosso dinheiro acabou. Precisamos pedir algum emprestado.
May I borrow your digital camera?
Posso pegar a sua câmera digital emprestada?

EXCHANGE RATE: TAXA DE CÂMBIO

Let's wait for a more favorable exchange rate. We'll lose money if we exchange it now.
Vamos esperar por uma taxa de câmbio mais favorável. Nós vamos perder dinheiro se fizermos a troca agora.
What's the exchange rate of the euro to the dollar now?
Qual é a taxa de câmbio do euro para o dólar agora?

LOAN: EMPRÉSTIMO

PAY OFF: QUITAR, PAGAR TUDO

The Johnsons are considering getting a bank loan to pay off their debts.
Os Johnsons estão pensando em fazer um empréstimo bancário para quitar as dívidas.

SAVINGS ACCOUNT: CONTA-POUPANÇA

Have you thought of opening a savings account?
Você pensou em abrir uma conta-poupança?

CURRENT ACCOUNT: CONTA-CORRENTE

TO MAKE OUT A CHECK: PREENCHER UM CHEQUE, FAZER UM CHEQUE

Can you please make the check out to "Carter & Sons Ltd"?
Você pode, por favor, fazer o cheque para "Carter & Sons Ltd"?

AUTOMATED TELLER MACHINE (ATM): CAIXA ELETRÔNICO

Do you know if there is an ATM near here?
Você sabe se tem um caixa eletrônico aqui perto?

TO WITHDRAW MONEY/TO DRAW MONEY OUT: SACAR DINHEIRO

I need to withdraw money from my account to make some payments.
Preciso sacar dinheiro da minha conta para fazer alguns pagamentos.

TO BOUNCE/BOUNCED/BOUNCED: VOLTAR (CHEQUES)

The check bounced.
O cheque voltou (não tem fundos).

BOUNCED CHECK: CHEQUE SEM FUNDO

Banks usually charge for bounced checks.
Os bancos normalmente cobram pelos cheques sem fundos.

TO MAKE A WIRE TRANSFER: FAZER UMA TRANSFERÊNCIA ELETRÔNICA, FAZER UM DOC

You can pay in cash, by check or make a wire transfer, whatever you prefer.
Você pode pagar em dinheiro, cheque ou fazer um doc, o que você preferir.

TO CASH A CHECK: TROCAR UM CHEQUE

I need to go to a bank to cash this check.
Preciso ir a um banco trocar este cheque.

STOCK EXCHANGE/STOCK MARKET: BOLSA DE VALORES

Jason has most of his money invested in the stock exchange.
Jason investe a maior parte de seu dinheiro na bolsa de valores.

STOCKS: AÇÕES

Buying stocks can be a risky business if you don't know how the stock market works.
Comprar ações pode ser um negócio arriscado se você não sabe como a bolsa de valores funciona.

8. RELACIONAMENTOS - RELATIONSHIPS

8.1 Um novo namorado (Diálogo) - A new boyfriend (Dialogue)

🎵 Track 41

Peggy: You look different. Actually you look happier, what's that all about?
Carol: Is it that obvious?
Peggy: What? I don't know what you're talking about.
Carol: Well, I met a new guy.
Peggy: Oh, great! That's why! A new boyfriend! So, tell me, what does he look like?
Carol: He's average height and weight and he has light brown hair and green eyes. Look, I have a picture of him on my cell phone.
Peggy: Wow, he looks cute! I guess you're pretty lucky!
Carol: I know.
Peggy: How old is he?
Carol: Nineteen. He's turning twenty next month.
Peggy: Good for you!
» Veja a tradução desse diálogo na p. 244

DICA CULTURAL 23 - CULTURAL TIP 23

Nos Estados Unidos e em outros países de língua inglesa, o dia dos namorados, **Valentine's Day**, é comemorado em 14 de fevereiro. Nessa data geralmente se envia a alguém, de forma anônima, um cartão, um **valentine**, também conhecido por **valentine card**. O termo **valentine** também é usado em referência à pessoa amada, destinatária do **valentine card**.

8.2 Descrevendo características físicas (Frases-chave) – Describing physical features (Key phrases)

DESCREVENDO CARACTERÍSTICAS FÍSICAS: ALTURA E PESO – DESCRIBING PHYSICAL FEATURES: HEIGHT AND WEIGHT

What does he look like? – Qual é a aparência dele?
He is average height. – Ele tem estatura mediana.
He is average weight. – Ele tem peso mediano.
He is tall/short. – Ele é alto/baixo.
He is fat/thin. – Ele é gordo/magro.
He is slim. – Ele é esbelto.
He is skinny. – Ele é magricela.

DICAL CULTURAL 24 – CULTURAL TIP 24

Nos Estados Unidos, na Inglaterra e em outros países de língua inglesa, as unidades de medida de altura (para pessoas, prédios etc.) são a polegada (**inch**, equivalente a 2,5 cm) e o pé (**foot**, corresponde aproximadamente a 30 cm). Por exemplo: **Peter is six foot four** (Peter tem um metro e oitenta de altura).

DICAL CULTURAL 25 – CULTURAL TIP 25

A unidade de peso, tanto nos Estados Unidos como na Inglaterra, é o **pound** (libra). Um **pound** equivale a aproximadamente 450 gramas. Por exemplo: **Mark weighs about 180 pounds** (Mark pesa aproximadamente 81 quilos).

DESCREVENDO CARACTERÍSTICAS FÍSICAS: CABELOS E OLHOS – DESCRIBING PHYSICAL FEATURES: HAIR AND EYES

He has long black hair. – Ele tem cabelo preto comprido.
He has short blonde hair. – Ele tem cabelo loiro curto.
He has curly brown hair. – Ele tem cabelo castanho cacheado.
She is blond/brunette. – Ela é loira/morena.
She has red hair. – Ela é ruiva.
He has straight hair. – Ele tem cabelo liso.
She has wavy hair. – Ela tem cabelo ondulado.
She has brown eyes. – Ela tem olhos castanhos.
She has light/dark brown eyes. – Ela tem olhos castanhos claros/escuros.
She has green/blue eyes. – Ela tem olhos verdes/azuis.
Obs.: Todos os adjetivos acima servem para masculino, feminino e plural.

DESCREVENDO OUTRAS CARACTERÍSTICAS FÍSICAS – DESCRIBING OTHER PHYSICAL FEATURES

He is bald. – Ele é careca.
He is kind of bald. – Ele é meio careca.
He wears a wig. – Ele usa peruca.
He has a beard. – Ele tem barba/Ele usa barba.
He has a mustache (EUA)/moustache (Ingl.). – Ele tem bigode.
He has a goatee. – Ele usa/tem cavanhaque.
She's beautiful/pretty. – Ela é bonita/linda.
He's plump. – Ele é rechonchudo/gordinho.
He's stocky. – Ele é atarracado.
He's built. – Ele é sarado.
He's heavy. – Ele é gordo.
He has broad shoulders. – Ele tem costas largas.
She's attractive. – Ela é atraente.
She's a little overweight. – Ela está um pouco acima do peso.
She has a slim waist. – Ela tem cintura fina.
She has wide hips. – Ela tem quadril largo.
Obs.: Todos os adjetivos acima servem para masculino, feminino e plural.

8.3 Descrevendo traços de personalidade (Frases-chave) – Describing personality traits (Key phrases)

DESCREVENDO TRAÇOS DE PERSONALIDADE – DESCRIBING PERSONALITY TRAITS

What's he like? – Como ele é? (Referindo-se à personalidade)
What's your sister like? – Como é a sua irmã?
He is outgoing and friendly. – Ele é extrovertido e amigável.
She's polite and responsible. – Ela é educada e responsável.
He is shy and quiet. – Ele é tímido e quieto.
He is serious and reliable. – Ele é sério e confiável.
He's intellectual and methodical. – Ele é intelectual e metódico.
She is talkative and funny. – Ela é falante e engraçada.
She is mature and patient. – Ela é madura e paciente.
He's perfectionist and organized. – Ele é perfeccionista e organizado.
He is an easygoing guy. – Ele é um cara tranqüilo.
He's sympathetic. – Ele é compreensivo/solidário.
Obs.: Todos os adjetivos acima servem para masculino, feminino e plural.

DESCREVENDO OUTROS TRAÇOS DE PERSONALIDADE – DESCRIBING OTHER PERSONALITY TRAITS

He's fun. – Ele é divertido.
He's warm. – Ele é caloroso.

He's considerate. – Ele é atencioso.
He's sincere. – Ele é sincero/autêntico.
He's honest. – Ele é honesto.
He's reliable/dependable. – Ele é confiável.
She's creative. – Ela é criativa.
He's dedicated. – Ele é dedicado.
She's impatient. – Ela é impaciente.
She's understanding. – Ela é compreensiva.
She's disciplined. – Ela é disciplinada.
She's charming. – Ela é charmosa.
She's elegant. – Ela é elegante.
She's sensitive. – Ela é sensível.
She's loyal. – Ela é leal.
Obs.: Todos os adjetivos acima servem para masculino, feminino e plural.

DESCREVENDO TRAÇOS NEGATIVOS DE PERSONALIDADE – DESCRIBING NEGATIVE PERSONALITY TRAITS

He's arrogant. – Ele é arrogante.
He's boring. – Ele é chato.
He's selfish. – Ele é egoísta.
He's demanding. – Ele é exigente.
He's greedy. – Ele é ganancioso.
She's jealous. – Ela é ciumenta.
She's spoiled. – Ela é mimada.
She's rude. – Ela é grosseira/mal-educada.
He's impolite. – Ele é mal-educado.
He's obnoxious. – Ele é insuportável/muito desagradável.
He's a pain-in-the-neck. – Ele é um pé-no-saco/um chato.
He's restless. – Ele é agitado/irrequieto.
He's careless. – Ele é relapso/descuidado.
Obs.: Todos os adjetivos acima servem para masculino, feminino e plural.

8.4 As separações são sempre difíceis! (Diálogo) – Breaking up is always hard to do! (Dialogue)

Track 42

Sandy: You look miserable! What's wrong?
Sue: I broke up with Jeff. That's why.
Sandy: What happened? Why did you break up?
Sue: Well, for a start, he's lied to me several times. I also found out he's been going out with Jane, you know, the cute girl at school. That was the last straw!

Sandy: Oh, well. I don't know what to say to you. I've been through that myself. Are you sure you can't work it out together?
Sue: I'm positive.
» Veja a tradução desse diálogo na p. 244

8.5 Vocabulário ativo: Namorando – Active vocabulary: Dating

» Veja Vocabulário ativo: Romance e sexo p. 116

TO DATE/DATED/DATED: NAMORAR

Diane looks a lot happier since she started dating Mike.
Diane parece muito mais feliz desde que começou a namorar o Mike.

TO HAVE A DATE WITH: TER UM ENCONTRO COM

Sophie always makes herself up and puts on her best clothes whenever she has a date with her boyfriend.
A Sophie sempre se maquia e veste as melhores roupas quando tem um encontro com o namorado.

A DATE: UM ENCONTRO; PESSOA COM QUEM SE TEM UM ENCONTRO; NAMORADO

What time is your date?
A que horas é seu encontro?
Do you know who Alice's new date is?
Você sabe quem é o novo namorado (ou candidato a namorado) da Alice?

TO BE IN LOVE (WITH): ESTAR APAIXONADO(A) (POR)

People can't always think straight when they are in love.
As pessoas nem sempre pensam direito quando estão apaixonadas.
Being in love makes people happier.
Estar apaixonado deixa as pessoas mais felizes.

TO FALL IN LOVE WITH: APAIXONAR-SE POR

LOVE AT FIRST SIGHT: AMOR À PRIMEIRA VISTA

Ray fell in love with Sandy the minute he laid eyes on her. For him it was love at first sight!
Ray se apaixonou pela Sandy assim que a viu. Para ele foi amor à primeira vista!

TO GO STEADY WITH: NAMORAR FIRME COM

Nick has never really gone steady with any girl. He just likes to fool around.
Nick nunca namorou firme com nenhuma garota. Ele só gosta de curtir.

TO GET ALONG WITH: TER UM BOM RELACIONAMENTO COM; ENTENDER-SE COM; DAR-SE BEM

COM

Harry and Nancy decided to split up since they could not get along with each other.
Harry e Nancy decidiram se separar já que não conseguiam se entender.

LOVE IS BLIND: O AMOR É CEGO

When people are in love they can only see the bright side of their lovers. Like the saying goes: Love is blind!
Quando as pessoas estão apaixonadas só conseguem enxergar o lado bom de seus amantes. Como diz o ditado: O amor é cego!

TO SPLIT UP WITH/TO BREAK UP WITH: ROMPER COM ALGUÉM; TERMINAR UM RELACIONAMENTO

We were all surprised when Kate announced she had split up with Dave.
Ficamos todos surpresos quando Kate anunciou que tinha rompido com o Dave.

TO GET OVER: SUPERAR (O FIM DO RELACIONAMENTO); "ESQUECER"

It took Linda quite a long time to get over her ex-boyfriend and move on with her life.
Levou bastante tempo para a Linda esquecer o ex-namorado e tocar a vida.

TO MAKE UP: FAZER AS PAZES

It's good to know Brad and Tina have already made up after their heated argument.
É bom saber que Brad e Tina já fizeram as pazes depois da discussão acalorada.

TO GET MARRIED: CASAR-SE

WEDDING: CASAMENTO

Did you know Helen and George are getting married? They announced their wedding last night.
Você sabia que a Helen e o Geogre vão se casar? Eles anunciaram o casamento deles ontem à noite.

ENGAGEMENT: NOIVADO

On the day they got engaged, Harry gave his fiancée a beautiful engagement ring.
No dia em que ficaram noivos, Harry deu à sua noiva um bonito anel de noivado.

TO BE ENGAGED: ESTAR NOIVO(A)

Sharon and Grey have been engaged for about a year.
Sharon e Grey estão noivos há mais ou menos um ano.

FIANCÉ: NOIVO (DURANTE O NOIVADO)

FIANCÉE: NOIVA (DURANTE O NOIVADO)

BRIDE: NOIVA (NO DIA DO CASAMENTO)

GROOM: NOIVO (NO DIA DO CASAMENTO)

HONEYMOON: LUA-DE-MEL

The newly-weds are going to the Bahamas for their honeymoon.
Os recém-casados vão passar a lua-de-mel nas Bahamas.

8.6 Convidando uma colega de trabalho para jantar (Diálogo) – Inviting a co-worker to dinner (Dialogue)

Track 43

Tom: Are you doing anything tonight?
Julia: No, not really. Why?
Tom: Well, I thought maybe we could have dinner somewhere.
Julia: Dinner!? Humm, what's the occasion?
Tom: No occasion. It's just that we've known each other for so long that... I don't know... I'd like to get to know you better.
Julia: Well, I'd love to. Only I want to go home after work and change.
Tom: No problem. I can pick you up later at your place if you like.
Julia: That would be nice!
» Veja a tradução desse diálogo na p. 244

8.7 Convidando alguém para fazer algo (Frases-chave) – Inviting someone to do something (Key phrases)

Would you like to have dinner with me tomorrow? – Você gostaria de jantar comigo amanhã?
» Veja No restaurante – Frases-chave p. 60
How about lunch tomorrow? – Que tal um almoço amanhã?
Do you feel like going out tonight? – Você está com vontade de sair hoje à noite?
» Veja Saindo para se divertir – Frases-chave p. 53
How about going to the movies on Saturday? – Que tal ir ao cinema no sábado?
How about going for a drink after work today? – Que tal ir tomar um drinque depois do trabalho hoje?
What do you feel like doing tonight? – O que você está a fim de fazer hoje à noite?
I feel like dancing. How about going to a disco tonight? – Estou com vontade de dançar. O que você acha de ir a uma discoteca hoje à noite?
I'm going bicycle riding on Sunday. Would you like to come along? – Eu vou fazer um passeio de bicicleta no domingo. Você quer vir junto?

» Veja Vocabulário 10: Esportes p. 150

8.8 Fica para a próxima (Diálogo) - I'll take a rain check (Dialogue)

Track 44

Neil: Ok. Let's call it a day.
Terry: Good. How about going for a drink at the bar on the corner?
Neil: I'll take a rain check. I really feel tired. I just wanna go home and relax.
Terry: Ah, come on, it's not even 6 p.m. We'll stay at the bar for just half an hour. It will do you good.
Neil: Well, to be honest, I also have a little headache. We'll go tomorrow, I promise!
Terry: Ok, you win!

» Veja a tradução desse diálogo na p. 245

8.9 Recusando um convite educadamanente (Frases-chave) - Refusing na invitation politely (Key phrases)

Thank you for inviting me, but I can't tonight. Another time, perhaps? - Obrigado por me convidar, mas não posso hoje à noite. Uma outra hora, talvez?

I'd love to, but I'm already busy then. Can we do that some other time? - Eu adoraria, mas já estou ocupado. Podemos fazer isto uma outra hora?

I'm sorry. I'm already doing something on Saturday. - Desculpe, mas já tenho programa para o sábado.

Sorry, I can't on Friday. Maybe some other time? - Desculpe, não posso na sexta. Talvez uma outra hora?

Can I take a rain check? - Podemos deixar para a próxima?

I'm sorry. I really don't feel like going out tonight. - Desculpe, mas realmente não estou com vontade de sair hoje à noite.

I'm not sure if I already have an appointment then. Can I call you back to confirm? - Não tenho certeza se já tenho um compromisso nesse horário. Posso te ligar depois para confirmar?

8.10 Você deveria sair com mais freqüência (Diálogo) - You should go out more often (Dialogue)

Track 45

Dan: Mike, what's up? You don't look too good.
Mike: I'm not.
Dan: What's the matter?
Mike: I guess I haven't had any fun in a long time. It's just work, work, work...

Dan: Come on, you should go out more often and meet new people.
Mike: I know I should. It's just that I've been working so much lately that I hardly have any time left for anything else.
Dan: Listen, how about going to a club tonight?
Mike: A club? I don't know, I mean I'm feeling tired and...
Dan: I want no ifs ands or buts. I'll come by to pick you up at 9 p.m. Be ready! Maybe we can have some pizza on the way to the club.
» Veja a tradução desse diálogo na p. 245

8.11 Você deveria sair com mais freqüência (Frases-chave) – You should go out more often (Key phrases)

ANIMANDO AS PESSOAS – CHEERING PEOPLE UP

Don't worry about that. – Não se preocupe com isso.
Why don't you get it off your chest? – Por que você não desabafa?
Everyone feels like that sometimes. – Todos se sentem assim às vezes.
It's no reason for you to feel like that. – Não há razão para sentir-se assim.
You can do it if you only try. – Você vai conseguir se tentar.
Hang on in there! Things will get better. – Agüenta firme aí! As coisas vão melhorar.
Cheer up! There's no need to feel like this. – Anime-se, não há razão para sentir-se assim.

FAZENDO UM ELOGIO – MAKING A COMPLIMENT

Well done! – Muito bem!
Good job! – Bom trabalho!
Keep up the good work! – Continue assim!
My congrats! – Meus parabéns!
That's the way you do it! – É assim que se faz!
Way to go! – É assim que se faz!
You did really good this morning! – Você se saiu muito bem esta manhã!
Your English/Portuguese is really good! – Seu inglês/português é muito bom!
You speak English/Portuguese really well! – Você fala inglês/português muito bem!
You look great! – Você está ótima(o)!
You look beautiful in that dress. – Você fica bonita com esse vestido.
Your hair looks nice. Have you done something to it? – Seu cabelo está lindo, você mudou alguma coisa?
Oh my! You look gorgeous! – Nossa! Você está linda!
You have a beautiful apartment/house. – Você tem um(a) apartamento/casa lindo(a).
Nice place you have here! – Que casa bacana a sua!

8.12 Acho que lhe devo desculpas (Diálogo) – I think I owe you an apology (Dialogue)

🔊 **Track 46**

Tim: Can I talk to you for a minute?
Sally: Ok, shoot!
Tim: I think I owe you an apology for what I said yesterday.
Sally: Well, if you want to know the truth, I was really upset about what you said last night.
Tim: I know, I shouldn't have been so nasty. I'm really sorry about what I said, I didn't really mean it. Do you think you could forgive me?
Sally: We all make mistakes, don't worry.
Tim: No hard feelings then, right?
Sally: It's all right. Forget it.

» Veja a tradução desse diálogo na p. 245

8.13 Pedindo desculpas (Frases-chave) – Apologizing (Key phrases)

PEDINDO DESCULPAS (A) – APOLOGIZING (A)

I'd like to apologize for what happened yesterday. – Queria pedir desculpas pelo que aconteceu ontem.
I'm really sorry for what I said yesterday. – Sinto muito pelo que eu disse ontem.
I apologize for being so rude. – Peço desculpas por ter sido tão rude.
I owe you an apology. – Eu lhe devo desculpas.
I think I overreacted. – Acho que tive uma reação exagerada.
I'd like to take back what I said about… – Eu queria retirar o que disse sobre…
I didn't mean to… – Não tive a intenção de…
I know I should have done that before, but I didn't have any time. – Eu sei que devia ter feito isso antes, mas não tive tempo.
I'm so sorry I need to cancel our appointment. Do you think we can reschedule? – Sinto mesmo por ter de cancelar nosso encontro. Você acha que podemos remarcar?

PEDINDO DESCULPAS (B) – APOLOGIZING (B)

I didn't mean to interrupt/bother you. – Não tive intenção de te interromper/perturbar.
I had no intention to… – Não tive intenção de…
I couldn't help. – Não pude evitar.
I'm sorry for the inconvenience. – Sinto pela inconveniência.
I'm sorry I'm late. – Desculpe o meu atraso.
Sorry, I'm late. It won't happen again. – Desculpe o atraso. Não vai acontecer de novo.
It's a great party, but I really have to leave. – A festa está ótima, mas eu preciso mesmo ir embora.

Sorry, but I really need to leave, I have to get up very early tomorrow. – Desculpe, mas eu preciso mesmo ir embora, tenho que levantar muito cedo amanhã.
Would you please pardon my behavior? – Você poderia perdoar o meu comportamento?
I didn't mean to hurt/offend you. – Não tive a intenção de te magoar/ofender.

ACEITANDO UM PEDIDO DE DESCULPAS – ACCEPTING AN APOLOGY

It's okay! – Tudo bem!
Apologies accepted. – Desculpas aceitas.
I know you had no intention of doing that. – Sei que você não teve a intenção de fazer aquilo.
No problem! – Sem problemas!
I know you didn't mean to do that. – Sei que você não teve a intenção de fazer aquilo.
Forget it! – Deixa pra lá!
We all make mistakes. – Todo mundo comete erros.
No hard feelings! – Sem ressentimentos!

8.14 É por isso que eu adoro este lugar! (Diálogo) – That's why I love this place! (Dialogue)

Track 47

Gary: Check out that cute chick over there.
Chuck: Wow. She's really a knock-out, isn't she?
Gary: There are lots of pretty girls at this club.
Chuck: I know! That's why I love this place.
Gary: Well, I just hope we get lucky tonight! I'm really hoping to score.
Chuck: Same here, pal! Same here...
» Veja a tradução desse diálogo na p. 246

8.15 Cantadas – Pick-up lines

Do you come here a lot? – Você vem muito aqui?
You look like someone I know. – Você parece com alguém que eu conheço.
Haven't we met before? – Nós já não nos conhecemos?
You're a great dancer! – Você dança muito bem!
You have a nice smile! – Você tem um sorriso lindo!
You're beautiful/pretty! – Você é linda!
Can I sit here? – Posso sentar aqui?
Can I buy you a drink? – Posso te pagar um drinque?
Would you like a drink? – Você quer beber alguma coisa?

8.16 Vocabulário ativo: Romance e sexo – Active vocabulary: Romance

and sex

» Veja Vocabulário ativo: Namorando p. 109

CHICK: GAROTA, "MINA", "GATA"

This place is packed with hot chicks!
Este lugar está cheio de minas boas!

TO FLIRT/FLIRTED/FLIRTED: PAQUERAR, FLERTAR

You know Fred. He's always flirting with any girl he lays eyes on!
Você conhece o Fred. Está sempre paquerando qualquer garota que ele vê.

FLIRT: NAMORADOR, NAMORADEIRA, PAQUERADOR(A)

Watch out for Gary! You know he's well-known for being such a flirt.
Cuidado com o Gary! Você sabe que ele é conhecido por ser paquerador.
Rick is such a flirt! He just can't help it.
O Rick é tão paquerador! Ele simplesmente não consegue evitar.

TO DUMP SOMEONE: "DAR O FORA EM ALGUÉM"; LARGAR ALGUÉM

Neil could hardly believe when his girlfriend dumped him for another guy.
Neil quase não acreditou quando sua namorada o largou por um outro cara.

TO BREAK UP WITH: ROMPER COM ALGUÉM; TERMINAR UM RELACIONAMENTO

TO FOOL AROUND WITH: "PULAR A CERCA"

Jane broke up with her boyfriend when she found out he was fooling around with other girls.
Jane rompeu com o namorado quando descobriu que ele estava pulando a cerca com outras garotas.

TO BANG/BANGED/BANGED: TRANSAR

Do you think Mario has banged Claire yet?
Você acha que o Mario já transou com a Claire?

BLOW JOB: CHUPETA, BOQUETE

Peggy gave her boyfriend a really good blow job.
Peggy fez um belo boquete no namorado.

TO COME/CAME/COME: EJACULAR, GOZAR

Rick didn't take very long to come.
Rick não demorou muito para gozar.

COME: ESPERMA

There were some come stains on the sheets.
Havia algumas manchas de esperma nos lençóis.

A ONE-NIGHT STAND: RELACIONAMENTO SEXUAL PASSAGEIRO, QUE NORMALMENTE DURA SÓ UMA NOITE; TRANSA SEM COMPROMISSO

Neil has gotten tired of one-night stands.
O Neil já está cansado de transas sem compromisso.

TO CHEAT ON: TRAIR, SER INFIEL

Angela suspects her husband has been cheating on her.
Angela suspeita que o marido a tem traído.

RUBBER: CAMISINHA

Don't take any chances. Make sure you wear a rubber!
Não corra riscos. Use sempre a camisinha!

9. VIVENDO, APENAS! (PARTE 1) - JUST LIVING! (PART 1)

9.1 Uma rotina diária (Diálogo) - A daily routine (Dialogue)

Track 48

Jay: Do you have a daily routine, Mike?
Mike: I do. I always get up at 7 a.m., take a shower, have breakfast and then go to work at 8 a.m.
Jay: And what time do you usually get to work?
Mike: About 8:30 if the traffic is light.
Jay: Do you read the paper every day?
Mike: No, I don't. I only read the paper on weekends to catch up on the news, but I often watch the late night news on TV.
Jay: So, you don't go to bed very early then?
Mike: Around midnight.
Jay: Don't you feel tired in the morning?
Mike: Not really. Seven hours' sleep is enough for me.

» Veja a tradução desse diálogo na p. 246

9.2 Falando sobre hábitos e rotinas (Frases-chave) - Talking about habits and routines (Key phrases)

I always run five kilometers every day. – Sempre corro cinco quilômetros por dia.
Mary usually does her homework in the afternoon. – Mary geralmente faz a lição de casa à tarde.
My alarm clock always rings at 7 a.m. – Meu despertador sempre toca às sete da manhã.
I never go to bed before 10 p.m. – Eu nunca vou dormir antes das dez horas da noite.
I sometimes go out with friends on Friday nights. – Eu às vezes saio com amigos nas noites de sexta.
We rarely go to work by car. – Raramente vamos de carro para o trabalho.
They seldom arrive late for work. – Eles raramente chegam atrasados para o trabalho.

9.3 A vida no Brasil e nos Estados Unidos (Diálogo) - Life in Brazil and in the USA (Dialogue)

Track 49

William: Have you ever thought about how different life in Brazil is from the United States?
Marco: Yes, sometimes I do. Especially when I see American movies.
William: Take cars for example. Most cars in the US are automatic. They are so much easier to drive!

Marco: I know. I rented one when I went to Florida three years ago. Something else that I found interesting is the fact that Americans eat a lot more for breakfast than we do.
William: Oh yeah. Breakfast is their main meal. On the other hand most people in Brazil have a hearty lunch whereas in the US they usually have just a snack, like hamburgers or even a slice of pizza.
Marco: Well, one thing I love about Brazil is the tropical weather.
William: Me too. I love sunny days.
» Veja a tradução desse diálogo na p. 246

9.4 Fazendo comparações (Frases-chave) – Making comparisons (Key phrases)

COMPARAÇÕES DE IGUALDADE – COMPARISONS OF EQUALITY

» Veja "Guia de referência gramatical": Comparação de adjetivos curtos e longos p. 210
Paul is as tall as Peter. – Paul é tão alto quanto Peter.
A BMW is as expensive as a Mercedes. – Um BMW é tão caro quanto um Mercedes.
Travelling in Brazil is as interesting as travelling in Europe. – Viajar pelo Brasil é tão interessante quanto viajar pela Europa.
The weather here is as hot as in Florida. – O tempo aqui é tão quente quanto na Flórida.

COMPARAÇÕES DE SUPERIORIDADE – COMPARISONS OF SUPERIORITY

» Veja "Guia de referência gramatical": Comparação de adjetivos curtos e longos p. 210
A small apartment is cheaper than a big house. – Um apartamento pequeno é mais barato do que uma casa grande.
The weather in Brazil is hotter than in the USA. – O tempo no Brasil é mais quente do que nos Estados Unidos.
A big house is more expensive than a small apartment. – Uma casa grande é mais cara do que um apartamento pequeno.
That room is more spacious than this one. – Aquele quarto é mais espaçoso do que este.

SUPERLATIVO – SUPERLATIVE

» Veja "Guia de referência gramatical: Comparação de adjetivos curtos e longos p. 210
Brazil is the biggest country in South America. – O Brasil é o maior país da América do Sul.
That brown chair is the heaviest of them all. – Aquela cadeira marrom é a mais pesada de todas.
São Paulo is the most important financial center in Brazil. – São Paulo é o centro financeiro mais importante no Brasil.
That sci-fi movie is the most interesting one. – Aquele filme de ficção científica é o mais interessante.

9.5 Está quente aqui dentro! (Diálogo) - It's hot in here! (Dialogue)

🔊 Track 50

Dave: Gosh, it's hot in here! Can I turn on the air-conditioner?
Bill: I wish we could, but it's broken.
Dave: Oh no, I can't believe it!
Bill: They said it should be fixed soon.
Dave: I wish I could go swimming today!
Bill: Me too. I might do that later today.
» Veja a tradução desse diálogo na p. 246

9.6 Falando sobre como você se sente (Frases-chave) - Talking about how you feel (Key phrases)

I'm hot/cold. - Estou com calor/frio.
I'm feeling hot/cold. - Estou sentindo calor/frio.
I'm happy/glad. - Estou feliz.
I'm sad. - Estou triste.
I'm excited. - Estou entusiasmado.
I'm surprised. - Estou surpreso.
I'm afraid. - Estou com medo.
I'm terrified. - Estou aterrorizado.
I'm hopeful. - Estou esperançoso.
I'm angry. - Estou bravo.
I'm embarassed. - Estou com vergonha.
I'm hungry. - Estou com fome.
I'm starving/famished. - Estou faminto.
I'm thirsty. - Estou com sede.
I'm in a good/bad mood. - Estou de bom/mau humor.
I'm not in the mood for dancing/going out. - Não estou no pique para dançar/sair.
I feel like swimming. - Estou com vontade de nadar.
I feel like having an ice cream. - Estou com vontade de tomar um sorvete.
I feel like dancing. - Estou a fim de dançar.

9.7 Sentindo-se cansado (Diálogo) – Feeling tired (Dialogue)

🔊 Track 51

Frank: I'm beat. Can we just go home?
Ruth: There's something else I need to buy.
Frank: What is it?
Ruth: Shoes, remember? I want to check out the new shoe store.
Frank: Do you mind if I sit at the coffee shop while you do that?
Ruth: Oh, come on honey. You know I need your opinion. I feel so much better when you tell me something looks nice on me.
Frank: All right! You win. Let's go, but let's do it quick, okay?
Ruth: Don't worry!
» Veja a tradução desse diálogo na p. 247

9.8 Sentindo-se cansado – Feeling tired (Key phrases)

I'm tired. – Estou cansado.
I feel tired. – Eu me sinto cansado.
I'm tired out. – Estou supercansado.
I'm worn out. – Estou exausto.
I'm beat. – Estou morto.
I'm not feeling very well. – Não estou me sentindo muito bem.
» Veja Sentindo-se doente – Frases-chave p. 71
I'm a bit under the weather. – Estou me sentindo um pouco indisposto.

9.9 Um dia duro (Diálogo) - A rough day (Dialogue)

🔊 Track 52

Matt: You look kind of upset.
Jerry: I've had a rough day.
Matt: What happened?
Jerry: Well, for a start I had a flat tire early in the morning when I was driving to work. But that's not all!
Matt: What else happened?
Jerry: When I finally got to the office I realized I had left my briefcase with some important reports at home.
Matt: So, you had to go all the way back home to pick it up?
Jerry: That's right. And guess what happened when I was coming back to the office?
Matt: I don't have a clue.
Jerry: Because of a fender-bender, traffic was stalled and it took me over an hour to get back here. As a consequence I missed the meeting with the salesmen.
Matt: Wow, it sounds like you've really had a rough day!
» Veja a tradução desse diálogo na p. 247

9.10 Sentindo-se mal (Frases-chave) - Not feeling very well (Key phrases)

» Veja Sentindo-se doente - Frases-chave p. 71
I'm depressed/I feel depressed. - Estou deprimido.
I'm in a bad mood. - Estou de mau humor.
I'm nervous. - Estou nervoso.
I'm tense. - Estou tenso.
I'm a nervous wreck. - Estou uma pilha de nervos.
I'm downhearted. - Estou desanimado.

I feel lonely/lonesome. – Eu me sinto solitário.
I feel out of place. – Sinto-me deslocado.
I miss my family/my home. – Eu sinto saudade da minha família/da minha casa.
I'm annoyed. – Estou irritado.
I'm bored./I feel bored. – Estou entediado.
I'm mad at her. – Estou furioso com ela.
I'm fed up with... – Estou farto de...
I'm worried about... – Estou preocupado com...
I'm concerned with... – Estou preocupado com...
I'm anxious. – Estou ansioso.
I'm disappointed. – Estou decepcionado.

9.11 Você pode me dar uma mão? (Diálogo) – Can you give me a hand? (Dialogue)

Track 53

Ray: Hey Mark, can you give me a hand?
Mark: Sure. What do you need me to do?
Ray: Can you help me move those boxes?
Mark: Ok. Where do you want to put them?
Ray: Right there, by the window.
Mark: All right. Let's do it! Wow! These are heavy. What do you have in them?
Ray: Mostly paperwork.

» Veja a tradução desse diálogo na p. 247

9.12 Pedindo ajuda e favores (Frases-chave) – Asking for help and favors (Key phrases)

Can you give me a hand with...? – Você pode me dar uma mão com...?
Can you help me with...? – Você pode me ajudar com...?
Can/Could you do me a favor? – Você pode/poderia me fazer um favor?
I was wondering if you could... – Eu estava pensando se você poderia...

9.13 Obrigado pela carona! (Diálogo) – Thanks for the ride! (Dialogue)

Track 54

Bob: Hey Stan! Where are you headed?
Stan: Bob! Small world! I'm going downtown.
Bob: It's your lucky day! I'm headed that way too. Hop in!

Stan: Great! Thanks for the ride Bob, I appreciate your help.
Bob: You're always welcome, Stan!
» Veja a tradução desse diálogo na p. 248

9.14 Agradecendo às pessoas (Frases-chave) - Thanking people (Key words)

Thank you very much for... - Muito obrigado pelo/a...
It's very kind of you, thank you. - É muito gentil de sua parte, obrigado.
I appreciate your help! - Eu agradeço a sua ajuda!
Thank you a million! - Muito obrigado mesmo!
I can't thank you enough. - Não sei como posso te agradecer.
Thanks! I owe you one. - Obrigado! Fico te devendo uma.
I don't know how I can thank you. - Não sei como posso te agradecer.
Thanks for the ride/the tip/etc. - Obrigado pela carona/dica/etc.

10. VIVENDO, APENAS! (PARTE 2) – JUST LIVING! (PART 2)

10.1 Como era a vida antes dos computadores (Diálogo) – What life was like before computers (Dialogue)

🔊 **Track 55**

Fred: Can you imagine what life was like when there were no computers?
Greg: Pretty hard I guess. My grandpa has an old typewriter. I just can't believe people used them. I mean, you can't compare them to today's word processors. Computers have made everybody's life so much easier.
Fred: Yeah. Just think about what life would be like without e-mail.
Greg: I send and get e-mails every single day. I just can't imagine my life without them. I guess we are a fortunate generation after all. Life is so much easier now!
Fred: Well, I'm not so sure. There's always a downside to everything, you know. Because of so many technological devices, today people work a lot more than they used to.
Greg: That's true. If you have a laptop, e-mails will follow you wherever you go... and phone calls too, if you have a cell phone!

» Veja a tradução desse diálogo na p. 248

10.2 Vocabulário ativo: Usando computadores – Active vocabulary: Using computers

WORLD WIDE WEB (WWW): A GRANDE REDE MUNDIAL DE COMPUTADORES

WEBSITE: SITE NA INTERNET; DOMÍNIO NA INTERNET

Why don't you start a website? It would be a great way to advertise your products.
Por que vocês não criam um site? Seria uma ótima maneira de divulgar os seus produtos.

AT (@): ARROBA, USADO EM ENDEREÇOS DE E-MAIL

DOT: PONTO, USADO EM ENDEREÇOS DE E-MAIL E DE SITES

What's your e-mail address? It's my name at my company dot com dot br (myname@my company.com.br)
Qual é o seu endereço de e-mail? É meu nome arroba minha empresa ponto com ponto br.

TO TYPE IN: DIGITAR

RECIPIENT: DESTINATÁRIO

Don't forget to type in the name of the recipient of the message!
Não se esqueça de digitar o nome do destinatário da mensagem!

TO E-MAIL/E-MAILED/E-MAILED: ENVIAR POR E-MAIL, MANDAR UM E-MAIL

Can you please e-mail that document to me as soon as possible?
Você pode, por favor, me enviar aquele documento por e-mail assim que possivel?
I'll e-mail you the contract later today.
Vou lhe enviar o contrato por e-mail mais tarde.

TO LOG ONTO THE INTERNET/TO LOG ONTO THE WEB: ACESSAR A INTERNET; ENTRAR NA INTERNET

Most five-year-old kids can log onto the internet by themselves these days.
A maioria das crianças de cinco anos de idade sabe acessar sozinha a internet hoje em dia.

PASSWORD: SENHA

You won't be able to log onto the system if you don't enter the password.
Você não vai conseguir acessar o sistema se não digitar a senha.

HOME PAGE: PRIMEIRA PÁGINA DE UM SITE; PÁGINA PRINCIPAL; HOME PAGE

Can you please check the full name of that company on their home page?
Você pode checar o nome completo daquela empresa na home page deles, por favor?

INTERNET CAFÉ/CYBER CAFÉ: CYBER CAFÉ

Let´s go to an internet café. I need to check my e-mail.
Vamos a um cyber café. Preciso checar meus e-mails.

TO SURF THE WEB/TO SURF THE INTERNET: SURFAR NA INTERNET; NAVEGAR NA INTERNET; VISITAR PÁGINAS DA INTERNET

Bill spends hours surfing the web every day.
Bill passa horas navegando na Internet todos os dias.

SEARCH ENGINE: SITE DE BUSCA

What's your favorite search engine?
Qual é o seu site de busca favorito?

TO DOWNLOAD/DOWNLOADED/DOWNLOADED: BAIXAR DA INTERNET, FAZER DOWNLOAD

Rick has a very powerful computer. He can download big files in no time.
Rick tem um computador muito potente. Ele consegue baixar arquivos grandes da Internet em pouco tempo.
It takes longer to download images than it takes to download text.
Leva mais tempo para fazer download de imagens do que para fazer download de texto.

TO SAVE/SAVED/SAVED: SALVAR

A BACKUP COPY: UMA CÓPIA DE BACK-UP

Make sure you save all files on a disk. You know how important backup copies are.
Não deixe de salvar todos arquivos em disquete. Você sabe como é importante ter cópias de back-up.

TO BACK UP: FAZER BACK-UP

Don't forget to back up the data before turning off the computer.
Não se esqueça de fazer um back-up dos dados antes de desligar o computador.

INTRANET: INTRANET, REDE PRIVADA QUE INTERLIGA OS DEPARTAMENTOS DE UMA EMPRESA E QUE SE RESTRINGE A ELA

Most big companies have intranet interconnecting their departments.
A maioria das grandes empresas tem intranet interligando seus departamentos.
All important messages are posted on the intranet of the company.
Todas as mensagens importantes são colocadas na intranet da empresa.

TO DELETE/DELETED/DELETED: DELETAR

Make sure to delete any suspicious messages. They might carry a virus.
Não deixe de deletar quaisquer mensagens suspeitas. Elas podem conter vírus.

ANTI-VIRUS SOFTWARE: ANTIVÍRUS

You should have updated anti-virus software installed in your computer. Surely you don't want any viruses to wipe out your hard disk.
Você deveria ter um antivírus atualizado instalado em seu computador. Certamente você não quer que nenhum vírus destrua o seu disco rígido.

TO UPGRADE/UPGRADED/UPGRADED: FAZER UM UPGRADE, ATUALIZAR, MODERNIZAR

UPGRADE: ATUALIZAÇÃO, UPGRADE

You won't be able to run this software unless you upgrade your hard drive.
Você não vai conseguir rodar esse software a menos que faça um upgrade do seu disco rígido.
There is a new version for the program you are using. You can download a free upgrade on the web.
Há uma nova versão do programa que você está usando. Você pode baixar uma atualização gratuita na Internet.

SPREADSHEET: PLANILHA ELETRÔNICA

Let's start a spreadsheet to keep track of our monthly fuel expenses.
Vamos fazer uma planilha para controlar nossas despesas mensais de combustível.

TO PRINT OUT: **IMPRIMIR UMA CÓPIA**
PRINTOUT: **CÓPIA IMPRESSA**

I need a printout of the document. Can you print it out for me?
Preciso de uma cópia impressa do documento. Você pode imprimi-la para mim?

SPAM: **MENSAGEM NÃO SOLICITADA, RECEBIDA POR E-MAIL, ENVIADA A MUITOS DESTINATÁRIOS AO MESMO TEMPO, NORMALMENTE DIVULGANDO ALGUM PRODUTO OU SERVIÇO; SPAM**

I've been getting way too much spam lately. Do you know any software that can filter them out?
Tenho recebido spam demais ultimamente. Você conhece algum software para filtrá-los?

HACKER: **AFICIONADO POR COMPUTADORES QUE UTILIZA SEU CONHECIMENTO DE INFORMÁTICA PARA DESCOBRIR SENHAS E INVADIR SISTEMAS; HACKER**

The hacker was arrested after breaking into several computer networks.
O hacker foi preso após invadir várias redes de computadores.

WEBDESIGNER: **PROFISSIONAL QUE PROJETA E DESENVOLVE SITES, WEBDESIGNER**

Nick works as a webdesigner in a dot-com company.
Nick trabalha como webdesigner em uma empresa "pontocom".

WEBMASTER: **RESPONSÁVEL POR UM SITE NA INTERNET; WEBMASTER**

The webmaster posted a message on their website saying that any complaints should be e-mailed to him.
O webmaster colocou uma mensagem no site dizendo que quaisquer reclamações deveriam ser enviadas para ele por e-mail.

LAPTOP/LAPTOP COMPUTER: **COMPUTADOR PORTÁTIL; LAPTOP**

I wish I had my laptop with me now. We could take care of that in no time.
Gostaria de ter meu laptop comigo agora. Poderíamos resolver isso em pouco tempo.

NOTEBOOK/NOTEBOOK COMPUTER: **COMPUTADOR PORTÁTIL; NOTEBOOK**

I'm thinking of buying a notebook. It would come in handy on my business trips.
Estou pensando em comprar um notebook. Ele seria útil nas minhas viagens de negócio.

10.3 E se você não fosse um webdesigner? (Diálogo) – What if you weren't a webdesigner? (Dialogue)

🔊 Track 56

Tina: So, what would you like to be if you weren't a webdesigner?

Barry: Gee! I don't know. I can't imagine myself doing anything else. Maybe I could have been a vet,[1] I love animals.
Tina: Really? Do you have any pets?
» Veja Vocabulário 23: Animais e bichos de estimação p. 168
Barry: Sure, I have two dogs and a cat.
Tina: And you're the one who takes care of them, right?
Barry: Oh yeah. My wife is not really into pets, so I'm usually the one who feeds and takes care of them.
» Veja a tradução desse diálogo na p. 248

10.4 Expressando preferências (Frases-chave) – Expressing likes and dislikes (Key phrases)

» Veja Saindo para se divertir - Frases-chave p. 53
I love to travel/watch documentaries/read/listen to music/etc. – Eu adoro viajar/assistir documentários/ler/escutar música/etc.
I enjoy taking care of pets. – Eu gosto de cuidar de animais de estimação.
I like to travel to the countryside for some fresh air. – Gosto de viajar para o interior para respirar ar puro.
I'm into vegetarian food. – Eu sou chegado à comida vegetariana.
I always have a good time watching comedies. – Eu sempre me divirto muito assistindo comédias.
I find sci-fi movies exciting/interesting. – Acho os filmes de ficção científica emocionantes/interessantes.
I find it boring to have to stand in line. – Acho um tédio ter que esperar na fila.
I don't like to get up early in the morning. – Não gosto de levantar cedo de manhã.
I dislike dealing with bossy people. – Não gosto de lidar com pessoas mandonas.
I hate waiting for people who are late. – Odeio esperar por pessoas que estão atrasadas.
I'm not into sports. – Não sou chegado a esportes.

10.5 Ele me parece um cara profissional (Diálogo) – He strikes me as a professional guy (Dialogue)

🎧 Track 57

Gary: So, what do you think of the new employee at the office?
Ben: I think he's doing fine. He strikes me as a professional kind of guy.
Gary: How long has he been with the company?
Ben: About five weeks, I guess.
Gary: Really? Time goes by really fast.
» Veja a tradução desse diálogo na p. 248

1. Vet: Abreviação de **veterinarian** = veterinário.

10.6 Expressando opinião (Frases-chave) – Expressing opinion (Key phrases)

» Veja Por mim tudo bem! – Frases-chave: Concordando e Discordando p. 135
I think it's perfect. – Acho que está perfeito.
I'm not so sure, I'd like to think it over. – Não tenho tanta certeza, gostaria de pensar melhor.
In my opinion... – Na minha opinião...
In my point of view... – No meu ponto de vista...
I believe that... – Acredito que...
It seems to me that... – Me parece que...
The way I see it... – Da forma como eu vejo...
He strikes me as a serious guy. – Ele me parece um cara sério.
Can I sleep on it before giving you my decision? – Posso pensar mais um pouco antes de lhe dar minha decisão?

10.7 Preciso do seu conselho sobre algo (Diálogo) – I need your advice on something (Diálogo)

Track 58

Tim: Do you have a minute?
Ron: Sure. What's up?
Tim: Nothing much. I'd just like to talk something over with you. Actually I needed your advice about something.
Ron: I'm all ears. Shoot!
Tim: You know I'm just about to graduate from high school and I was planning to go to Law School like my father did.
Ron: Yeah, you've always wanted to be a lawyer like your dad.
Tim: Well, that's the point. I'm not so sure anymore...

» Veja a tradução desse diálogo na p. 249

10.8 Preciso do seu conselho sobre algo (Frases-chave) – I need your advice on something (Key phrases)

PEDINDO CONSELHO – ASKING FOR ADVICE

Can you give me some advice on...? – Você pode me aconselhar sobre...?
What's your opinion about...? – Qual a sua opinião sobre...?
What do you think I should do? – O que você acha que eu deveria fazer?
What would you advise me to do? – O que você me aconselharia a fazer?
What would you do if you were in my shoes? – O que você faria se estivesse em meu lugar?

DANDO CONSELHOS – GIVING ADVICE

If I were you I would... – Se eu fosse você eu...
If I were you I would not do that. – Se eu fosse você eu não faria isto.
If I were in your shoes I would... – Se eu estivesse em seu lugar eu...
Why don't you...? – Por que você não...?
I think you should... – Eu acho que você deveria...
How about...? – Que tal...?
What if you...? – E se você...?

10.9 Posso falar com o gerente por favor? (Diálogo) – Can I speak to the manager please? (Dialogue)

🔊 Track 59

Shop clerk: Good morning! What can I do for you, ma'am?
Helen: I'd like to talk to the manager, please.
Shop clerk: Sure, maybe I can help you if you tell me what it's about.
Helen: Well, I bought this blender here yesterday and I was surprised to find out this morning that it's not working properly.
Shop clerk: Do you have the receipt with you?

Helen: Sure, here it is.
Shop clerk: Ok, ma'am, no problem at all. Would you prefer to exchange it for another one or to have a refund?
Helen: I'd like another one, sure, I really need a new blender, that's why I bought it in the first place.
Shop clerk: All right. It'll just be a minute. I'll get a new one for you.
Helen: Thank you. I appreciate your help!
» Veja a tradução desse diálogo na p. 249

10.10 Posso falar com o gerente, por favor? (Frases-chave) – Can I speak to the manager please? (Key phrases)

RECLAMANDO – COMPLAINING

I'd like to make a complaint about... – Queria fazer uma reclamação sobre...
I'd like to complain about... – Queria reclamar a respeito de...
The TV/CD-player I bought here yesterday is not working. – A televisão/aparelho de CD que comprei aqui ontem não está funcionando.
I'd like to take back this DVD-player I bought here a few days ago. – Queria devolver este DVD que comprei aqui há alguns dias.
The clerk that waited on us was very rude. – O vendedor que nos atendeu foi muito grosseiro.
He was really impolite. – Ele foi muito mal-educado.
I can't believe you treat people like that. – Não acredito que vocês tratam as pessoas assim.
That was really rude of you. – Foi muito grosseiro da sua parte.

RESPONDENDO A RECLAMAÇÕES – REACTING TO COMPLAINTS

No problem! Our policy is "Satisfaction guaranteed or your money back". – Sem problemas! Nossa política é "Satisfação garantida ou seu dinheiro de volta".
We're really sorry about what happened. – Sentimos muito pelo ocorrido.
I'm sorry, that's not our regular procedure. – Desculpe, este não é o nosso procedimento padrão.
There must have been some misunderstanding. – Deve ter havido algum mal-entendido.
Sorry for the inconvenience, how can we make up for what happened? – Sentimos muito pelo incômodo, como podemos compensá-lo pelo que aconteceu?

10.11 Por mim tudo bem! (Diálogo) – Fine by me! (Dialogue)

⏸ Track 60

Rick: How about dropping in on Stewart tonight? We haven't seen him in a long time.
Will: Sounds good. I wonder what he's been up to.
Rick: Does 7 p.m. sound okay to you?

Will: Can we make it a little later, say 8?
Rick: Sure thing. Do you want me to come and get you?
Will: That would be great. Hey, we could all go grab a bite to eat at Rocket's. What do you say?
Rick: Fine by me! I'm sure Stewart is gonna like the idea too. He's a big fan of burgers. See you at 8 then.
» Veja a tradução desse diálogo na p. 249

10.12 Por mim tudo bem! (Frases-chave) – Fine by me! (Key phrases)

CONCORDANDO – AGREEING

I couldn't agree with you more. – Concordo plenamente.
I agree with you completely on this matter. – Concordo plenamente com você quanto a isso.
I think you're right. – Acho que você está certo.
You can say that again. – É mesmo.
Fine by me! – Por mim tudo bem!

DISCORDANDO – DISAGREEING

I don't agree with you. – Não concordo com você.
I disagree with you. – Eu discordo de você.
I'm not sure I agree with you on that. – Não tenho certeza se concordo com você sobre aquilo.
Maybe. I'd like to think it over. – Talvez. Gostaria de pensar um pouco mais.

10.13 Novos tempos, novos trabalhos (Diálogo) – New times, new jobs (Dialogue)

▶ Track 61

Sean: How do you see the world twenty years from now?
Nick: Gee, it's kind of hard to imagine. Things have been changing so fast now.
Sean: Do you think people won't commute to work anymore?
Nick: Well, I guess many people will work from home. I have a couple of friends who do that now.
Sean: What about jobs? Do you think some of them will disappear?
Nick: I'm sure some will. Take tailoring for example. You hardly see tailors anymore.
Sean: That's true. On the other hand technology has brought along new jobs, such as webdesigners!
» Veja a tradução desse diálogo na p. 250

II. VOCABULÁRIO
VOCABULARY

VOCABULÁRIO 1: OCUPAÇÕES
VOCABULARY 1: OCCUPATIONS

Advogado(a): lawyer, attorney
Agente de viagens: travel agent
Agrônomo(a): agronomist
Analista de sistemas: systems analyst
Arquiteto(a): architect
Assistente social: social worker
Ator: actor
Atriz: actress
Auditor(a): auditor
Balconista: clerk
Bancário(a): bank clerk
Banqueiro(a): banker
Barbeiro: barber
Bibliotecário(a): librarian
Biólogo(a): biologist
Cabeleireiro(a): hairdresser
Caixa
  em banco: teller
  em supermercado, lojas etc.: cashier
Cantor(a): singer
Chefe de cozinha: chef
Comissário(a) de bordo: flight attendant
Comprador(a): buyer
Consultor(a): consultant
Contador(a): accountant
Corretor
  de imóveis: real estate agent
  de seguros: insurance agent
Cozinheiro(a): cook
Dançarino(a): dancer
Dentista: dentist
Diretor(a): director
  administrativo(a): administrative director
  comercial: commercial director
  financeiro(a): financial director
  industrial: industrial director
  de marketing: marketing director
  de recursos humanos: human resources director
Dona de casa: housewife
Economista: economist
Eletricista: electrician
Empreiteiro(a): contractor
  de obras: building contractor
Empresário: businessman
Engenheiro(a): engineer
  civil: civil engineer
  elétrico(a): electrical engineer
  mecânico(a): mechanical engineer
  químico(a): chemical engineer
  de alimentos: food engineer
  de produção: production engineer
  de produto: product engineer
Encanador(a): plumber
Enfermeiro(a): nurse
Escritor(a): writer
Estagiário(a): trainee, intern
Farmacêutico(a): pharmacist
Faxineiro(a): cleaner
Fiscal: inspector
Físico(a): physicist
Fisioterapeuta: physical therapist
Fotógrafo(a): photographer
Funcionário(a) público(a): civil servant
Garçom: waiter
Garçonete: waitress
Gerente: manager
  administrativo(a): administrative manager
  comercial: commercial manager
  financeiro(a): financial manager
  de vendas: sales manager
  de marketing: marketing manager
  de produto: product manager
  de recursos humanos: human resources

manager
  de produção: production manager
Guia turístico(a): tour guide
Intérprete: interpreter
Jornalista: journalist
Lixeiro: garbage collector/man (EUA)/
  dustman (Ingl.)
Mecânico(a): mechanic
Médico(a): doctor
Motorista: driver
  de ônibus: bus driver
  de táxi: taxi driver
Musicista: musician
Operador(a) de telemarketing: telemarketing
  operator/attendant
Personal trainer: personal trainer
Piloto de avião, helicóptero: pilot
  de automóveis: race car driver
Professor(a): teacher
Professor(a) universitário(a): professor
Profissional que projeta e desenvolve sites:
  webdesigner

Projetista: designer
Promotor(a) de vendas: sales representative
Psicanalista: psychoanalyst
Psicólogo(a): psychologist
Químico(a): chemist
Recepcionista: receptionist
Relações públicas: public relations
Responsável por um site na internet:
  webmaster
Secretária(o): secretary
Supervisor(a): supervisor
Técnico(a): technician
Telefonista: operator
Tradutor(a): translator
Vendedor(a) em uma empresa: salesman
  em uma loja: clerk, salesclerk, sales
  assistant
Veterinário(a): veterinarian, vet
Vigia: watchman
Zelador(a): janitor, superintendent, super,
  caretaker (Ingl.)

VOCABULÁRIO 2: PAÍSES E NACIONALIDADES
VOCABULARY 2: COUNTRIES AND NATIONALITIES

PAÍS	COUNTRY	NACIONALIDADE	NATIONALITY
África do Sul	South Africa	Sul-africano(a)	South African
Alemanha	Germany	Alemão/Alemã	German
Argentina	Argentina	Argentino(a)	Argentinian, Argentine
Austrália	Australia	Australiano(a)	Australian
Áustria	Austria	Austríaco(a)	Austrian
Bélgica	Belgium	Belga	Belgian
Bolívia	Bolivia	Boliviano(a)	Bolivian
Brasil	Brazil	Brasileiro(a)	Brazilian
Bulgária	Bulgaria	Búlgaro(a)	Bulgarian
Canadá	Canada	Canadense	Canadian
Cingapura	Singapore	Cingapuriano(a)	Singaporean
Chile	Chile	Chileno(a)	Chilean
China	China	Chinês/Chinesa	Chinese
Colômbia	Colombia	Colombiano(a)	Colombian
Coréia do Norte	North Korea	Norte-coreano(a)	North Korean
Coréia do Sul	South Korea	Sul-coreano(a)	South Korean
Cuba	Cuba	Cubano(a)	Cuban
Dinamarca	Denmark	Dinamarquês/Dinamarquesa	Danish
Egito	Egypt	Egípcio(a)	Egyptian
Equador	Ecuador	Equatoriano(a)	Ecuadorian
Escócia	Scotland	Escocês/Escocesa	Scottish, Scot
Espanha	Spain	Espanhol(a)	Spanish
Estados Unidos	United States	Norte-americano(a)	American
Filipinas	Philippines	Filipino(a)	Philippine
Finlândia	Finland	Finlandês/Finladesa	Finn
França	France	Francês/Francesa	French
Grécia	Greece	Grego(a)	Greek
Groenlândia	Greenland	Groenlandês(a)	Greenlander
Guatemala	Guatemala	Guatemalteco(a)	Guatemalan
Haiti	Haiti	Haitiano(a)	Haitian
Holanda	Holland, The Netherlands	Holandês/Holandesa	Dutch

Honduras	Honduras	Hondurenho(a)	Honduran
Hungria	Hungary	Húngaro(a)	Hungarian
Índia	India	Indiano(a)	Indian
Indonésia	Indonesia	Indonésio(a)	Indonesian
Inglaterra	England	Inglês/Inglesa	English
Irã	Iran	Iraniano(a)	Iranian
Iraque	Iraq	Iraquiano(a)	Iraqi
Irlanda	Ireland	Irlandês/Irlandesa	Irish
Islândia	Iceland	Islandês/Islandesa	Icelander
Israel	Israel	Israelense	Israeli
Itália	Italy	Italiano(a)	Italian
Jamaica	Jamaica	Jamaicano(a)	Jamaican
Japão	Japan	Japonês/Japonesa	Japanese
Kuwait	Kuwait	Kuwaitiano(a)	Kuwaiti
Líbano	Lebanon	Libanês/Libanesa	Lebanese
Marrocos	Morocco	Marroquino(a)	Moroccan
México	Mexico	Mexicano(a)	Mexican
Nepal	Nepal	Nepalês/Nepalesa	Nepalese
Nicarágua	Nicaragua	Nicaragüense	Nicaraguan
Nigéria	Nigeria	Nigeriano(a)	Nigerian
Noruega	Norway	Norueguês/Norueguesa	Norwegian
Nova Zelândia	New Zealand	Neozelandês/Neozelandesa	New Zealander
Panamá	Panama	Panamenho(a)	Panamanian
Paquistão	Pakistan	Paquistanês/Paquistanesa	Pakistani
Paraguai	Paraguay	Paraguaio(a)	Paraguayan
Peru	Peru	Peruano(a)	Peruvian
Polônia	Poland	Polonês/Polonesa	Polish, Pole
Porto Rico	Puerto Rico	Porto-riquenho(a)	Puerto Rican
Portugal	Portugal	Português/Portuguesa	Portuguese
Romênia	Romania	Romeno(a)	Romanian
Rússia	Russia	Russo(a)	Russian
Suécia	Sweden	Sueco(a)	Swedish
Suíça	Switzerland	Suíço(a)	Swiss
Turquia	Turkey	Turco(a)	Turk
Uruguai	Uruguay	Uruguaio(a)	Uruguayan
Venezuela	Venezuela	Venezuelano(a)	Venezuelan

VOCABULÁRIO 3: NÚMEROS ORDINAIS E CARDINAIS
VOCABULARY 3: ORDINAL AND CARDINAL NUMBERS

CARDINAL NUMBERS	ORDINAL NUMBERS
1: One	1st: First
2: Two	2nd: Second
3: Three	3rd: Third
4: Four	4th: Fourth
5: Five	5th: Fifth
6: Six	6th: Sixth
7: Seven	7th: Seventh
8: Eight	8th: Eighth
9: Nine	9th: Ninth
10: Ten	10th: Tenth
11: Eleven	11th: Eleventh
12: Twelve	12th: Twelfth
13: Thirteen	13th: Thirteenth
14: Fourteen	14th: Fourteenth
15: Fifteen	15th: Fifteenth
16: Sixteen	16th: Sixteenth
17: Seventeen	17th: Seventeenth
18: Eighteen	18th: Eighteenth
19: Nineteen	19th: Nineteenth
20: Twenty	20th: Twentieth
21: Twenty-one	21st: Twenty-first
22: Twenty-two	22nd: Twenty-second
23: Twenty-three	23rd: Twenty-third
24: Twenty-four	24th: Twenty-fourth
25: Twenty-five	25th: Twenty-fifth
26: Twenty-six	26th: Twenty-sixth
27: Twenty-seven	27th: Twenty-seventh
28: Twenty-eight	28th: Twenty-eighth
29: Twenty-nine	29th: Twenty-ninth
30: Thirty	30th: Thirtieth
40: Forty	40th: Fortieth
50: Fifty	50th: Fiftieth
60: Sixty	60th: Sixtieth
70: Seventy	70th: Seventieth

80: Eighty	80th: Eightieth
90: Ninety	90th: Ninetieth
100: One hundred	100th: Hundredth
101: One hundred and one	101st: Hundred and first
129: One hundred and twenty-nine	129th: Hundred and twenty-ninth
199: One hundred and ninety-nine	199th: Hundred and ninety-ninth
200: Two hundred	200th: Two hundredth
300: Three hundred	300th: Three hundredth
1,000: A thousand/One thousand[1]	1,000th: Thousandth
1,999: One thousand, nine hundred and ninety-nine	
2,000: Two thousand	
3,000: Three thousand	
9,000: Nine thousand	
9,001: Nine thousand and one	
9,999: Nine thousand, nine hundred and ninety-nine	
10,000: Ten thousand	
20,000: Twenty thousand	
90,000: Ninety thousand	
90,999: Ninety thousand, nine hundred and ninety-nine	
100,000: A hundred thousand/One hundred thousand	
300,000: Three hundred thousand	
900,000: Nine hundred thousand	
999,999: Nine hundred and ninety-nine thousand, nine hundred and ninety-nine	
1,000,000: A million/One million	1,000,000th: Millionth

1. Nos Estados Unidos usa-se vírgula em lugar do ponto para indicar milhar.

VOCABULÁRIO 4: DIAS DA SEMANA, MESES DO ANO E HORAS
VOCABULARY 4: DAYS OF THE WEEK, MONTHS OF THE YEAR AND TELLING THE TIME

Dias da semana – Days of the week
Segunda-feira: Monday
Terça-feira: Tuesday
Quarta-feira: Wednesday
Quinta-feira: Thursday
Sexta-feira: Friday
Sábado: Saturday
Domingo: Sunday

Meses do ano – Months of the year
Janeiro: January
Fevereiro: February
Março: March
Abril: April
Maio: May
Junho: June
Julho: July
Agosto: August
Setembro: September
Outubro: October
Novembro: November
Dezembro: December

Que horas são? – What time is it?
São sete horas da manhã. – It's seven o'clock in the morning./It's seven a.m.
São sete horas da noite. – It's seven o'clock in the evening./It's seven p.m.
São sete e cinco. – It's five past seven.
São sete e quinze. – It's a quarter past seven./It's seven-fifteen.
São sete e vinte. – It's twenty past seven.
São sete e meia. – It's half past seven./It's seven-thirty.
São sete e quarenta e cinco./São quinze para as oito. – It's a quarter to eight./It's seven-forty-five.
São sete e cinqüenta./São dez para as oito. – It's ten to eight.
É meio-dia. – It's noon./It's midday.
É meia-noite. – It's midnight.

Vocabulário adicional – Additional vocabulary

Relógio de pulso – watch
Relógio de parede ou de mesa – clock
Meu relógio está adiantado. – My watch is fast.
Meu relógio está atrasado. – My watch is slow.
Sete horas em ponto – seven o'clock sharp

VOCABULÁRIO 5: RELAÇÕES FAMILIARES
VOCABULARY 5: FAMILY CONNECTIONS

Afilhada: goddaughter
Afilhado: godson
Avô: grandfather
Avó: grandmother
Avós: grandparents
Bisavô: great-grandfather
Bisavó: great-grandmother
Bisavós: great-grandparents
Bisneta: great-granddaughter
Bisneto: great-grandson
Bisnetos: great-grandchildren
Cunhada: sister-in-law
Cunhado: brother-in-law
Enteada: stepdaughter
Enteado: stepson
Esposa: wife
Filha: daughter
Filho: son
Filhos: children, kids
Genro: son-in-law
Irmã: sister
Irmão: brother
Madrasta: stepmother
Madrinha de batismo: godmother
Madrinha de casamento: maid of honor
Mãe: mother
Mamãe: mom (informal)

Marido: husband
Meio-irmão: stepbrother
Meia-irmã: stepsister
Neta: granddaughter
Neto: grandson
Netos: grandchildren
Noiva (durante o noivado): fiancée
Noiva (no dia do casamento): bride
Noivo (durante o noivado): fiancé
Noivo (no dia do casamento): groom
Nora: daughter-in-law
Padrasto: stepfather
Padrinho de batismo: godfather
Padrinho de casamento: best man
Pai: father
Pais: parents
Papai: dad, daddy (informal)
Parentes: relatives
Primo(a): cousin
Sobrinha: niece
Sobrinho: nephew
Sogra: mother-in-law
Sogro: father-in-law
Tia: aunt
Tio: uncle
Vovó: grandma, granny (informal)
Vovô: grandpa (informal)

VOCABULÁRIO 6: O AUTOMÓVEL
VOCABULARY 6: THE AUTOMOBILE

Acelerador: gas pedal (EUA)/accelerator (Ingl.)
Airbag: airbag
Bagageiro: luggage rack (EUA)/roof-rack (Ingl.)
Banco do motorista: driver's seat
Banco do passageiro: passenger seat
Buzina: horn
Calota: hubcap
Capô: hood (EUA)/bonnet (Ingl.)
Chapa: license plate (EUA)/number plate (Ingl.)
Cinto de segurança: seat belt, safety belt
Direção: steering wheel
Embreagem: clutch
» Veja Dica Cultural 7 p. 42
Escapamento: exhaust pipe
Espelho retrovisor externo: side mirror (EUA)/wing mirror (Ingl.)
Espelho retrovisor interno: rearview mirror
Estepe: spare tire (EUA)/spare tyre (Ingl.)

Faróis dianteiros: headlights
Freio: brake
Freio de mão: emergency brake (EUA)/Handbrake (Ingl.)
Limpadores de pára-brisa: windshield wipers (EUA)/windscreen wipers (Ingl.)
Marcha: gear shift (EUA)/gear stick (Ingl.)
Painel: dashboard
Pára-brisa: windshield (EUA)/windscreen (Ingl.)
Pára-choque: bumper
Pneu: tire (EUA)/tyre (Ingl.)
Pneu sobressalente e estepe: spare tire (EUA)/spare tyre (Ingl.)
Porta-luvas: glove compartment
Porta-malas: trunk (EUA)/boot (Ingl.)
Roda: wheel
Teto solar: sunroof
Velocímetro: speedometer
Volante: steering wheel

Vocabulário adicional – Additional vocabulary

Buzinar: to honk
Combustível: fuel
Direção hidráulica: power steering
Este carro funciona com gasolina/álcool/diesel/eletricidade.: This car runs on gas/alcohol/diesel/electricity.
Funilaria: bodywork
Injeção eletrônica: fuel injection

Levantar o carro: to jack up the car, lift up the car
Macaco: jack
Marcha a ré: reverse gear
Trocar o pneu: to change the tire
Trocar de marcha: to change/shift gear
Revisão: tune-up
Vela: spark plug

VOCABULÁRIO 7: A MOTOCICLETA
VOCABULARY 7: THE MOTORCYCLE

Espelho: mirror
Guidom: handlebars
Motor: engine
Pezinho: kickstand
Roda: wheel
Selim: saddle

VOCABULÁRIO 8: A BICICLETA
VOCABULARY 8: THE BICYCLE

Breque: brake
Bomba: pump
Corrente: chain
Garfo: fork
Guidom: handlebars
Marcha: gear lever
Pedal: pedal
Pneu: tire (EUA)/tyre (Ingl.)
Selim: saddle

VOCABULÁRIO 9: ROUPAS E CALÇADOS
VOCABULARY 9: CLOTHES AND SHOES

» Veja Vocabulário ativo: Roupas e calçados p. 49
Agasalho: jogging suit
Blusa (de mulher): blouse
Boné: baseball cap
Botas: boots
Cachecol: scarf
Calção: trunks
Calças: pants (EUA)/trousers (Ingl.)
Calcinha(s): panties (EUA)/knickers (Ingl.)
Camisa: shirt
Camisa pólo: polo shirt
Camiseta: t-shirt
Casaco: coat
Chapéu: hat
Chinelos: slippers
Chuteira(s): cleats
Colete: vest (EUA)/waistcoat (Ingl.)
Cueca(s): underpants
Cueca samba-canção: boxer shorts/boxers
Gravata: tie
Jaqueta de couro: leather jacket
Jeans: jeans
Maiô: bathing suit
Meias: socks
Minisaia: Mini skirt
Moletom: sweatshirt
Saia: skirt
Sandálias: sandals
Sapatos: shoes
Suéter: sweater
Sutiã: bra
Tênis: sneakers
Terno: suit
Vestido: dress (pl. dresses)

VOCABULÁRIO 10: ESPORTES
VOCABULARY 10: SPORTS

» Veja Vocabulário ativo: Mantendo-se em forma p. 77

Asa-delta (vôo livre): hang-gliding
Alpinismo: mountain climbing
Atletismo: athletics
Automobilismo: motor racing
Basquetebol: basketball
Beisebol: baseball
Boliche: bowling
Boxe: boxing
Caratê: karate
Ciclismo: cycling
Corrida: jogging, running
Esqui: skiing
Futebol:[1] soccer
Futebol americano: football
Ginástica: gymnastics
Golfe: golf
Handebol: handball
Hóquei: hockey
Levantamento de peso: weightlifting
Mergulho: diving, scuba diving
Natação: swimming
Patinação: skating
Patinação no gelo: ice skating
Pesca: fishing
Skatismo: skate boarding
Squash: squash
Surfe: surfing
Tênis: tennis
Tênis de mesa: table tennis
Trilha: hiking
Velejar: sailing
Voleibol: volleyball
Windsurf: windsurfing

1. Na Inglaterra, e na maioria dos países do mundo, a palavra **football** é usada para designar o futebol que nós, brasileiros, conhecemos. Já nos EUA, o termo **football** refere-se ao futebol americano.

VOCABULÁRIO 11: AFAZERES DOMÉSTICOS E OUTRAS ATIVIDADES
VOCABULARY 11: HOUSEHOLD CHORES AND OTHER ACTIVITIES

» Veja Vocabulário ativo: Afazeres domésticos p. 82

Cozinhar: to cook
Fazer a cama: to make one's bed
Fazer um bolo: to bake a cake
Lavar as roupas: to wash the clothes
Lavar os pratos: to do the dishes/to wash the dishes
Passar o aspirador: to vacuum
Passar roupas: to iron the clothes
Pôr a mesa: to set the table
Regar as plantas: to water the plants
Tirar o pó: to dust
Varrer o chão: to sweep the floor

Vocabulário adicional - Additional vocabulary

Aspirador de pó: vacuum cleaner
Máquina de lavar roupas: washing machine
Secadora: dryer
Tábua de passar roupa: ironing board

VOCABULÁRIO 12: COMIDA E BEBIDA
VOCABULARY 12: FOOD AND BEVERAGE

CAFÉ-DA-MANHÃ – BREAKFAST

Açúcar: sugar
Adoçante: sweetner
Biscoito de água e sal: cracker
  doce: cookie
  salgado em forma de laço: pretzel
Bolacha: cookie
Bolinho (geralmente com frutas): muffin
Bolo: cake
  de chocolate: chocolate cake
Café: coffee
  com leite: coffee and milk
  puro: black coffee
Cereal: cereal
flocos de milho: corn flakes
Croissant: croissant
Geléia: jam
  de morango: strawberry jam
  de pêssego: peach jam
Iogurte: yogurt
Leite: milk
Manteiga: butter
Margarina: margarine
Melado de maple: maple syrup[1]
Milk-shake: milk-shake
  de chocolate: chocolate milk-shake
Ovos com bacon: bacon and eggs
Ovos com presunto: ham and eggs
Ovos mexidos: scrambled eggs
Pãezinhos: rolls
Panqueca: pancake
  servida quente, com geléia, mel ou manteiga: waffle
Pão branco: white bread
  com manteiga: bread and butter

---

1. Maple – bordo em português – é uma árvore de seiva rica em açúcar, comum na América do Norte, em especial no Canadá, onde sua folha é o símbolo do país e decora a bandeira nacional.

  de centeio: rye bread
  integral: whole bread
  pequeno em forma de anel e com a crosta dura: bagel
Pasta de amendoim: peanut butter
Presunto: ham
Queijo: cheese
  fresco: cottage cheese
Requeijão: cream cheese
Ricota: cottage cheese
Rosquinha de massa frita coberta de açúcar: doughnut, donut
Suco: juice
  de laranja: oranje juice
  de maracujá: passion fruit juice
  de melancia: watermelon juice
Torrada: toast

ALMOÇO E JANTAR – LUNCH AND DINNER

Amendoim: peanuts
Aperitivo: appetizer[1]
Arroz com feijão: rice and beans
Azeitonas: olives
Batata frita: french fries
Comida italiana: italian food
Coquetel de camarões: shrimp cocktail
Espaguete: spaghetti
  com almôndegas: spaghetti with meatballs
Macarrão tipo miojo: noodles
Massas: pasta
Lasanha: lasagna
Omelete: omelet
Ovos: eggs
  cozidos: boiled eggs
  fritos: fried eggs
  mexidos: scrambled eggs
  de codorna: quail eggs
Pão de alho: garlic bread
Patê: spread
  de queijo: cheese spread
  de fígado: liver spread
  de atum: tuna spread

---

1. Esse termo pode ser usado tanto para comida como para bebida.

Queijo ralado: grated cheese
Queijos sortidos: assorted cheese
Salada de alface: green salad
  com croutons (torradinhas de pão), queijo ralado, frango fatiado e molho mostarda: caesar salad
  de alface e tomate: lettuce and tomato salad
  de repolho: cole slaw
Sopa: soup
  canja de galinha: chicken soup
  de cebola: onion soup
  de legumes: vegetable soup
Suflê: soufflé
  de queijo: cheese soufflé
  de espinafre: spinach soufflé
Uma refeição leve: a light meal
Uma refeição substancial: a hearty meal

CARNE - MEAT

Aves: poultry
Bife: steak
  de frango: chicken steak
Carne assada: roast beef
  bovina: beef
  de vaca: beef
  de porco: pork
Carne moída: ground beef/mince
Carneiro: mutton
Cordeiro: lamb
Codorna: quail
Coelho: rabbit
Costeletas de porco: pork chops
Frango: chicken
  assado: roast chicken
Lingüiça: sausage
Pato: duck
Peito de frango: chicken breast
Peru: turkey
  assado: roast turkey
Torta de frango: chicken pie
Vitela: veal

FRUTOS DO MAR E PEIXES – SEAFOOD

Atum: tuna
Bacalhau: cod
Camarão: shrimp
   frito: fried shrimp
Lagosta: lobster
Linguado: sole; flounder
Ostra: oyster
Peixe: fish
Salmão: salmon
   defumado: smoked salmon
Sardinha: sardine
Truta: trout

LEGUMES – VEGETABLES

Abóbora: squash
Abobrinha: zucchini
Aipo: celery
Alcachofra: artichoke
Alface: lettuce
Alho: garlic
Aspargo: asparagus
Azeitona: olive
Batata: potato
Beringela: eggplant
Beterraba: beet (EUA)/beetroot (Ingl.)
Brócolis: broccoli
Cebola: onion
Cenoura: carrot
Cogumelo: mushroom
Couve-flor: cauliflower
Ervilhas: peas
Espinafre: spinach
Feijão: beans
Lentilha: lentil
Milho cozido: corn on the cob
Nabo: turnip
Palmito: hearts of palm
Pepino: cucumber
Pimentão: green pepper
Quiabo: okra
Rabanete: radish

Repolho: cabbage
Salsinha: parsley
Tomate: tomato
Vagem: string beans

FRUTAS – FRUIT

Abacate: avocado
Abacaxi: pineapple
Ameixa: plum
Banana: banana
Cereja: cherry
Coco: coconut
Damasco: apricot
Figo: fig
Goiaba: guava
Laranja: orange
Limão: lemon
Maçã: apple
Mamão: papaya
Manga: mango
Maracujá: passion fruit
Melancia: watermelon
Melão: melon
Mexerica: tangerine
Morango: strawberry
Pêssego: peach
Pêra: pear
Toranja: grapefruit
Uvas: grapes

Obs.: Para se referir ao caroço das frutas, empregue a palavra pip se ele for pequeno (por exemplo, o caroço da melancia ou da maçã); utilize o termo stone para caroços grandes, como é o caso do abacate e o do pêssego.

SOBREMESAS – DESSERTS

Arroz doce: rice pudding
Bolos: cakes
   de chocolate: chocolate cake
Salada de fruta: fruit salad
» Veja também Frutas p. 156
Sorvete: ice cream
   de creme: vanilla ice cream

de chocolate: chocolate ice cream
Torta de maçã: apple pie
   de queijo: cheesecake

FRUTAS SECAS E CASTANHAS – DRY FRUIT AND NUTS

Ameixa seca: prune
Amêndoa: almond
Amendoim: peanut
Avelã: hazel nut
Castanha: chestnut
Castanha-de-caju: cashew nut
Castanha-do-pará: Brazil nut
Tâmara: date
Uva passa: raisin

TEMPEROS E CONDIMENTOS – DRESSING AND CONDIMENTS

Alcaparra: caper
Azeite: olive oil
Canela: cinnamon
Condimento: spice
Condimentado: spicy
Cravo: clove
Ketchup: ketchup, catchup, catsup
Maionese: mayonnaise, mayo
Molho: sauce
   de tomate: tomato sauce
Manjericão: basil
Molho condimentado: relish
Mostarda: mustard
Orégano: oregano
Picante: spicy
Pimenta: pepper
Sal: salt
Tempero: spice
Vinagre: vinegar

LANCHES – SNACKS

Burrito: espécie de panqueca salgada, recheada com carne, feijão, tomate, alface, queijo, molho e pimenta (prato da culinária mexicana muito comum nos EUA)
Cachorro-quente: hot-dog
Hambúrguer: hamburger
   com queijo: cheeseburger

Misto-quente: a hot ham and cheese sandwich
Pizza: pizza
   uma fatia de: a slice of pizza
Sanduíche de atum: tuna sandwich
Sanduíche de frango: chicken sandwich
     de presunto e queijo: a ham and cheese sandwich

BEBIDAS – BEVERAGES

Água mineral: mineral water
   com gás: sparkling mineral water
Café: coffee
   com leite: coffee and milk
   puro: black coffee
Cappuccino: cappuccino
Chá: tea
Leite achocolatado: chocolate milk
Limonada: lemonade
Milk-shake: milk-shake
Refrigerante: soft drink, soda
Suco: juice
» Veja também Café-da-manhã p. 152

BEBIDAS ALCÓLICAS – ALCOHOLIC BEVERAGES

Cerveja: beer
Chope: draft beer
Conhaque: brandy
Drinque doce feito com rum e suco de frutas: daiquiri
Drinque feito com suco de abacaxi, coco e vodca, ou outra bebida alcoólica, como aguardente: piña colada
Drinque feito com suco de tomate e vodca: bloody mary
Drinque feito com tequila e suco de limão-galego ou limão taiti: margarita
Gim: gin
   um gim-tônica: a gin and tonic
Martini seco: dry martini
Vinho: wine
   branco: white wine
   tinto: red wine
Vodca: vodka
Uísque: whisky
   com gelo: on the rocks
   puro: straight

VOCABULÁRIO 13: O ROSTO
VOCABULARY 13: THE FACE

Amígdalas: tonsils
Boca: mouth
Bochecha: cheek
Cabelo: hair
Cílios: eyelashes
Dentes: teeth
Garganta: throat
Gengiva: gum
Lábios: lips
Língua: tongue
Maxilar: jaw
Nariz: nose
Olhos: eyes
Orelhas: ears
Pálpebra: eyelid
Pescoço: neck
Queixo: chin
Sobrancelha: eyebrow
Testa: forehead

VOCABULÁRIO 14: O CORPO
VOCABULARY 14: THE BODY

Apêndice: appendix
Artéria: artery
Baço: spleen
Barriga: stomach, belly
Bexiga: bladder
Braço: arm
Cabeça: head
Calcanhar: heel
Cintura: waist
Coluna vertebral: backbone/spinal column
Coração: heart
Costas: back
Costela: rib
Cotovelo: elbow
Coxa: thigh
Dedos
  anular: ring finger
  indicador: index finger
  médio: middle finger
  mínimo, mindinho: little finger/pinkie
  da mão: fingers
  do pé: toes

Fígado: liver
Joelho: knee
Mão: hand
Músculo: muscle
Nádegas: buttocks
Ombro: shoulder
Órgãos: organs
Peito: chest
Pé: foot
Pênis: penis
Perna: leg
Pés: feet
Polegar: thumb
Pulmões: lungs
Pulso: wrist
Quadril: hip
Rins: kidneys
Seio: breast
Tornozelo: ankle
Unha: nail
Vagina: vagina
Veia: vein

VOCABULÁRIO 15: NO MÉDICO: SINTOMAS E DOENÇAS
VOCABULARY 15: AT THE DOCTOR'S: SYMPTOMS AND DISEASES

Alergia: allergy, rash
Amigdalite: tonsillitis
Apendicite: appendicitis
Artrite: arthritis
Asma: asthma
Ataque epiléptico: epileptic seizure
Bolha: blister
Bronquite: bronchitis
Cãibra: cramp
Catapora: chicken pox
Check-up annual: annual checkup
Cólicas estomacais: stomach cramps
Convulsão: seizure
Derrame: stroke
Diabetes: diabetes
Diarréia: diarrhea
Efeito colateral: side effect
Enjôo: sickness, nausea
Enxaqueca: migraine
Erupção cutânea: rash
Gastrite: gastritis
Hérnia: hernia
Inchaço: swelling

Infarte: heart attack
Infecção: infection
Injeção: shot
Insônia: insomnia
Laringite: lariyngitis
Machucado: bruise
Manchas: spots
Náusea: sickness, nausea
Picada de inseto: sting
Pneumonia: pneumonia
Pronto-socorro: emergency room (ER)
Queimadura: burn
Reumatismo: rheumatism
Rubéola: German measles
Sangramento: bleeding
Sangrar: to bleed/bled/bled
Sarampo: measles
Sinusite: sinus trouble
Sutura: suture
Suturar: to suture
Tontura: dizziness
Úlcera: ulcer
Varíola: smallpox

Tipos de médico – Kinds of doctor

Cardiologista: cardiologist
Cirurgião: Surgeon
Clínico geral: general practitioner (GP)
Ginecologista: gynecologist
Neurologista: neurologist

Oftalmologista: ophthalmologist
Ortopedista: orthopedist
Otorrinolaringologista: ear, nose and throat specialist/doctor
Pediatra: pediatrician

VOCABULÁRIO 16: NO DENTISTA
VOCABULARY 16: AT THE DENTIST'S

》Veja Guia de referência gramatical: Uso dos pronomes p. 185

Anestesia: anesthesia
Antisséptico bucal: mouthwash
Arrancar um dente: to pull out a tooth
Bochechar: to rinse out one's mouth
》Veja Guia de referência gramatical: Uso dos pronomes p. 185
Broca de dentista: drill
Canal: root canal
Cárie: cavity, tooth decay
Coroa: crown
Dentadura: false teeth, dentures
Dente de leite: milk tooth, baby tooth
Dente do siso: wisdom tooth
Escova de dente: toothbrush
Escovar: to brush/brushed/brushed
Fio dental: dental floss
Gargarejar: to gargle/gargled/gargled
Gargarejo: gargle
Hora marcada no dentista: dental appointment
Obturar um dente: to fill a tooth
Obturação: filling
Passar fio dental: to floss/flossed/flossed
Pasta de dente: toothpaste
Ponte: bridge

VOCABULÁRIO 17: ARTIGOS DE DROGARIA
VOCABULARY 17: DRUGSTORE ITEMS

Acetona: nail remover
Água oxigenada: peroxide
Algodão: cotton
Analgésico: painkiller
Aparelho de barbear: safety razor
Aspirina: aspirin
Atadura: bandage
Barbeador elétrico: electric razor, shaver
Batom: lipstick
Bronzeador: suntan lotion
Calmante: tranquilizer
Colírio: eye drops
Condicionador de cabelos: hair conditioner
Cortador de unha: nail clipper
Cotonete: Q-tip (EUA)/Cotton bud (Ingl.)
Creme de barbear: shaving cream, shaving foam
Curativo adesivo: band-aid
Desodorante em bastão: stick/roll on deodorant
Escova de cabelos: hairbrush
Escova de dente: toothbrush
Esmalte: nail polish
Espuma de barbear: shaving foam
Estojo de primeiros socorros: first-aid kit

Fio dental: dental floss
Gaze: gauze
Grampo de cabelo: hairpin
Lâmina de barbear: razor blade
Lenço de papel: tissue
Lixa de unha: nail file
Loção pós-barba: aftershave
Mercúrio: mercury
Papel higiênico: toilet paper
Pasta de dente: toothpaste
Pente: comb
Pincel de barba: shaving brush
Pomada: ointment
Preservativo: condom, rubber (informal)
Protetor solar: sunscreen, sunblock
Remédio para dor de ouvido: ear drops
Rímel: mascara
Sabonete: soap
Seringa: syringe
Supositório: suppository
Talco: talk, talcum powder
Tesoura: scissors
Xampu: shampoo
Xarope: syrup

163

VOCABULÁRIO 18: A CASA
VOCABULARY 18: THE HOUSE

Antena: antenna (EUA)/aerial (Ingl.)
Banheiro: bathroom
Cerca: fence
Chaminé: chimney
Cozinha: kitchen
Dormitórios: bedrooms
Garagem: garage
Jardim: garden
Lavanderia: laundry room
Piscina: pool
Porão: cellar, basement
Portão: gate
Quintal: yard
Quintal nos fundos da casa: backyard
Sala de estar: living-room
Sala de jantar: dining-room
Sótão: attic

VOCABULÁRIO 19: COISAS E OBJETOS DA SALA DE ESTAR
VOCABULARY 19: THINGS AND OBJECTS IN THE LIVING-ROOM

Abajour: lamp
Almofada: cushion
Aparelho de DVD: DVD-player
Consolo: mantelpiece
Equipamento de som: stereo
Estante: bookcase
Lareira: fireplace
Mesa de centro: coffee table
Poltrona: armchair
Sofá: sofa
Tapete: carpet
Televisão: television (TV)

VOCABULÁRIO 20: COISAS E OBJETOS DA COZINHA
VOCABULARY 20: THINGS AND OBJECTS IN THE KITCHEN

Armário: cupboard
Caneca: mug
Colher: spoon
Copo: glass (pl. glasses)
Faca: knife (pl. knives)
Fogão: stove
Forno: oven
Forno de microondas: microwave oven
Freezer: freezer
Garfo: fork
Geladeira: refrigerator (EUA)/fridge (Ingl.)
Máquina de lavar pratos: dishwasher
Pia: sink
Prato: plate
Torneira: faucet (EUA)/tap (Ingl.)
Torradeira: toaster
Xícaras: cups

Vocabulário adicional – Additional vocabulary

Comida congelada: frozen food
Descongelar: to defrost/defrosted/defrosted
Esquentar: to heat up/heated up/heated up
Talheres: silverware (EUA)/cutlery (Ingl.)
Lavar os pratos: to do/wash the dishes

VOCABULÁRIO 21: COISAS E OBJETOS DE DORMITÓRIO
VOCABULARY 21: THINGS AND OBJECTS IN THE BEDROOM

Armário: closet
Cabides: hangers
Cadeira: chair
Cama: bed
Cobertor: blanket
Criado-mudo: bedside table
Despertador: alarm clock
Fronha: pillowcase
Lençol: sheet
Mesa: desk
Travesseiro: pillow

Vocabulário adicional – Additional vocabulary

Dobrar o cobertor/os lençóis: to fold the blanket/sheets
Fazer a cama: to make the bed
Pendurar as roupas/colocar no cabide: to hang (up) the clothes
Programar o despertador: to set the alarm clock
Trocar os lençóis: to change the sheets

VOCABULÁRIO 22: COISAS E OBJETOS DO BANHEIRO
VOCABULARY 22: THINGS AND OBJECTS IN THE BATHROOM

Banheira: bathtub (EUA)/bath (Ingl.)
Chuveiro: shower
Escova de dente: toothbrush
Espelho: mirror
Pasta de dente: toothpaste
Pia: washbasin
Secador de cabelos: hair dryer

Vocabulário adicional - Additional vocabulary

Dar descarga: to flush the toilet
Escovar os dentes: to brush one's teeth
» Veja "Guia de referência gramatical": uso dos pronomes p. 185
Lavar o rosto: to wash one's face
» Veja "Guia de referência gramatical": uso dos pronomes p. 185
Olhar-se no espelho: to look at oneself in the mirror
» Veja "Guia de referência gramatical": uso dos pronomes p. 185
Pentear o cabelo: to comb one's hair
» Veja "Guia de referência gramatical": uso dos pronomes p. 185
Secar o cabelo: to dry one's hair
» Veja "Guia de referência gramatical": uso dos pronomes p. 185
Tomar um banho de banheira: to take a bath (EUA)/to have a bath (Ingl.)
Tomar um banho de chuveiro/uma ducha: to take a shower (EUA)/to have a shower (Ingl.)

VOCABULÁRIO 23: ANIMAIS E BICHOS DE ESTIMAÇÃO
VOCABULARY 23: ANIMALS AND PETS

Bode: goat
Boi: bull
Cachorro: dog
Cavalo: horse
Canguru: kangaroo
Cisne: swan
Cobra: snake
Coelho: rabbit
Falcão: hawk
Galinha: chicken
Galo: cock
Gato: cat
Girafa: giraffe
Hamster: hamster

Leão: lion
Macaco: monkey
Papagaio: parrot
Pássaro: bird
Pato: duck
Pavão: peacock
Peixinho dourado de aquário: goldfish
Ovelha: sheep
Rato, camundongo: mouse
Rato, ratazana: rat
Rinoceronte: rhino
Tigre: tiger
Vaca: cow

Vocabulário adicional – Additional vocabulary

Coleira: collar
Encoleirado: on a leash
Gaiola: cage
Gado: cattle
Latir: to bark/barked/barked
Miar: to meow/meowed/meowed
Morder: to bite/bit/bitten
Picar: to sting/stung/stung
Pulgas: fleas
Veterinário: veterinarian (vet.)

VOCABULÁRIO 24: O ESCRITÓRIO
VOCABULARY 24: THE OFFICE

Arquivo: filing cabinet
Calculadora: calculator
Calendário: calendar
Cestinho de lixo: wastepaper basket
Clipe: paper clip
Computador: computer
Copiadora: copy machine/photocopier
Escaneadora: scanner
Estação de trabalho/baia: workstation
Fax: fax machine
Furador: hole punch
Gavetas: drawers
Grampeador: stapler
Impressora: printer
Mesa: desk
Pasta arquivo: file folder

Vocabulário adicional - Additional vocabulary

Deixar um recado na secretária eletrônica: to leave a message on the answering machine
Enviar um fax: to fax/faxed/faxed/send a fax
Escanear: to scan/scanned/scanned
Imprimir: to print/printed/printed
Jogar fora: to throw away/threw away/thrown away
Mandar um e-mail: to e-mail/e-mailed/e-mailed/send an e-mail
Tirar uma cópia: to make a copy

VOCABULÁRIO 25: DITADOS E PROVÉRBIOS
VOCABULARY 25: PROVERBS AND SAYINGS

O uso de ditados e provérbios para descrever ou exemplificar situações é comum em todos os idiomas. Por isso, conhecer os ditados e provérbios mais comuns em inglês contribui para uma melhor compreensão dos falantes nativos, bem como de diálogos e textos. Veja na lista abaixo os principais ditados e provérbios empregados na conversação cotidiana. Você poderá observar que nem sempre existe equivalência literal entre os provérbios em inglês e os em português.

A cavalo dado não se olham os dentes. – Don't look a gift horse in the mouth.
Achado não é roubado. – Finders keepers, losers weepers.
Água mole em pedra dura tanto bate até que fura. – Water dripping day by day wears the hardest rock away.
Águas passadas não movem moinho. – Let bygones be bygones.
Anime-se! Você ainda não viu nada! – Cheer up! The worst is yet to come!
Antes só do que mal acompanhado. – Better to be alone than in bad company.
Antes tarde do que nunca. – Better late than never.
As aparências enganam. – Looks can be deceiving.
A prática leva à perfeição. – Practice makes perfect.
A pressa é inimiga da perfeição. – Haste makes waste.
Cão que ladra não morde. – Barking dogs seldom bite.
Depois da tempestade vem a bonança. – The calm after the storm.
Deus ajuda quem cedo madruga. – The early bird catches the worm.
Dinheiro não cai do céu. – Money doesn't grow on trees.
Diz-me com quem andas e te direi quem és. – Birds of a feather flock together./A man is known by the company he keeps.
Duas cabeças pensam melhor do que uma. – Two heads are better than one.
Em boca fechada não entra mosquito. – A closed mouth catches no flies.
É melhor prevenir do que remediar. – An ounce of prevention is worth a pound of cure.
Faça o que eu digo e não o que eu faço. – Do as I say, not as I do.
Falando do diabo, aparece o rabo. – Speak of the devil and he appears.
Falar é fácil, difícil é fazer! – Easier said than done!
Gato escaldado tem medo de água fria. – A burnt child dreads the fire.
Há males que vêm para o bem. – Every dark cloud has a silver lining.
Mais vale um pássaro na mão do que dois voando. – A bird in the hand is worth two in the bush.
Matar dois coelhos com uma cajadada só. – Kill two birds with one stone.
Mente vazia, oficina do diabo. – An idle mind is the devil's workshop.
Não adianta chorar sobre o leite derramado. – It's no use crying over spilt milk.

Não cuspa no prato em que come. – Don't bite the hand that feeds you.
Não deixe para amanhã o que você pode fazer hoje. – Don't put off until tomorrow what you can do today.
Não dê o passo maior do que a perna. – Don't bite off more than you can chew.
Não faça tempestade em copo d'água. – Don't make a mountain out of a molehill./Don't sweat the small stuff.
Não julgue um livro pela capa. – Don't judge a book by its cover.
Não ponha o carro na frente dos bois. – Don't put the cart before the horse.
Nem tudo o que brilha/reluz é ouro. – All that glitters is not gold./Not all that glitters is gold.
No amor e na guerra vale tudo. – All is fair in love and war.
Para bom entendedor, meia palavra basta. – A word to the wise is enough.
O amor é cego. – Love is blind.
O crime não compensa. – Crime doesn't pay.
Onde há fumaça, há fogo. – There's no smoke without fire.
O que os olhos não vêem, o coração não sente. – Out of sight, out of mind.
O sucesso depende de 10% de inspiração e 90% de transpiração. – Success depends on ten percent inspiration and ninety percent perspiration.
Quando o gato sai, o rato faz a festa. – When the cat's away, the mice will play.
Quando um não quer, dois não brigam. – It takes two to make a fight.
Quem ama o feio bonito lhe parece. – Beauty lies in lovers' eyes.
Quem não arrisca não petisca. – Nothing ventured, nothing gained./No pain, no gain.
Quem não tem cão caça com gato. – Make do with what you have.
Quem ri por último ri melhor. – He who laughs last laughs best.
Querer é poder. – Where there's a will there's a way.
Roupa suja se lava em casa. – Don't wash the family's dirty linen in public.
Seguro morreu de velho. – It's better to be safe than sorry.
Se não pode vencê-los, junte-se a eles! – If you can't beat them, join them!
Tal pai, tal filho. – Like father, like son.
Tudo que é bom dura pouco. – All good things must come to an end.
Uma mão lava a outra. – You scratch my back and I scratch yours.
Um erro não conserta o outro. – Two wrongs don't make a right.

VOCABULÁRIO 26: EXPRESSÕES COMUNS DO DIA-A-DIA
VOCABULARY 26: COMMON EVERYDAY EXPRESSIONS

Todo idioma é repleto de frases e expressões coloquiais empregadas repetidamente no dia-a-dia. Muitas vezes são frases fixas tão freqüentemente utilizadas que passam a ser empregadas automaticamente pelos falantes nas situações que lhe competem. Daí a importância desta seção de vocabulário, para que você conheça previamente várias frases comuns que certamente irá ouvir em diferentes contextos de conversação. Além disso, esta seção permite que você esteja preparado para se expressar em inglês quando necessário.

Acabou? (de fazer algo) – Are you done?
Acelera! – Step on it!
A conclusão é... – The bottom line is...
Aconteça o que acontecer! – Come what may!
Acredite se quiser! – Believe it or not!
Adivinha o quê! – Guess what!
Agüenta firme aí! – Hang on in there!/Hang in there!
A propósito... – By the way...
Aqui está! (o que você pediu) – Here you are!
As coisas estão se encaixando. – Things are falling into place.
Até aqui tudo bem! – So far so good!
A vida é assim mesmo! – That's life!
À vista ou no cartão? – Cash or charge?
Bem feito! (você mereceu o castigo) – It serves you right!
Cara ou coroa? – Heads or tails?
Com certeza! – Definitely!/Absolutely!
Como é que é mesmo? – Come again?
Como é que pode? – How come?
Com o passar do tempo... – As time goes by...
Contenha-se! – Pull yourself together!
Controle-se! – Pull yourself together!
Conseguiu? – Any luck?
Cuide da sua vida! – Mind your own business!
Dá para perceber! – You can tell!
Daqui pra frente... – From now on...
Dá uma olhada! – Check it out!
Dá um tempo! – Give me a break!
De agora em diante... – From now on...
Deixa pra lá! – Forget it!
De jeito nenhum! – No way!

Desembucha! – Shoot!
Deu pau! (no computador) – It crashed!
Deu tudo certo no final. – It all worked out fine in the end.
Dois é bom, três é demais! – Two's company, three's a crowd!
Dou-lhe uma, dou-lhe duas... – Going once, going twice...
E agora? – What now?
E aí? – What's up?
É aí que você entra! – That's where you come in!
É a sua vez! – It's your turn!
E daí? – So what?
É isso aí! – That's it!
É mesmo! (concordando com alguém) – You can say that again!
Ele já era! – He's history!
É por minha conta! (oferecendo-se para pagar a conta) – My treat!
É para o seu próprio bem! – It's for your own good!
Era uma vez... – Once upon a time...
É só uma mentirinha! – It's only a white lie!
Esta é só a ponta do iceberg! – This is just the tip of the iceberg!
Estou caindo fora! – I'm out of here!
Estou me lixando. – I don't give a damn./I don't care.
É verdade! – You can say that again!
É uma droga! – It sucks!
Eu idem! – Same here!
Eu já vou embora! – I'm out of here!
Eu também! – Same here!
Fala logo! – Shoot!
Fala sério! – Come off it!
Falar é fácil, difícil é fazer! – Easier said than done!
Fique à vontade! – Be my guest!
Foi demais! – It was awesome!
Foi por pouco! – That was a close shave!
Foi por um triz! – That was a close shave!
Grande coisa! – Big deal!
Há quanto tempo a gente não se vê! – Long time no see!
Isso dá! – That will do!
Isso é bobagem! – That's bullshit!
Isso é mentira! – That's bullshit!
Isso é uma mixaria! – That's peanuts!
Isso é um roubo! (muito caro) – That's a rip-off!
Isso que é vida! – This is the life!
Isso serve! – That will do!
Isso te lembra alguma coisa? – Does it ring a bell?

Já volto! – I'll be right back!
Juro por Deus. – I swear to God.
Lar doce lar! – Home sweet home!
Legal! – Cool!
Mas e se...? – But what if...?
Me deixa em paz! – Leave me alone!
Me poupe! – Spare me!
Missão cumprida! – Mission accomplished!
Muito barulho por nada. – Much ado about nothing.
Muito bem! – Well done!
Nada é de graça! – Nothing comes for free!
Nada feito! – No deal!
Não é da sua conta! – This is none of your business!
Não estou falando sério! – Just kidding!
Não faz mal! – Never mind!
Não importa! – It doesn't matter!
Não me entenda mal. – Don't get me wrong.
Não posso acreditar no que vejo! – I can't believe my eyes!
Não se preocupe! – Never mind!
Não tem importância! – Never mind!
Não tenho a mínima idéia! – I don't have a clue!
Não tenha pressa! – Take your time!
Não tô nem aí. – I don't give a damn./I don't care.
Não vejo a hora de... – I can't wait to...
Negócio fechado! – Deal!
No que se refere a... – When it comes to...
O gato comeu sua língua? – The cat got your tongue?
Olha só quem tá falando! – Look who's talking!
O que adiantaria isso? – What good would that do?
O que deu em você? – What's come over you?
O que é demais é demais! – Enough is enough!
O que eu ganho com isso? – What's in it for me?
O que foi que você disse? – Come again?
O que há com você? – What's with you?/What's the matter with you?
O que você está aprontando? – What are you up to?
O que você está tramando? – What are you up to?
O que você quer dizer? – What do you mean?
Parabéns! – Well done!
Pára com isso! – Knock it off!/Cut it out!
Pára de brincar! – Come off it!
Pega leve! – Take it easy!
Pelo amor de Deus! – For Christ's sake!

Pé na tábua! – Step on it!
Pode apostar! – You bet!/You can bet on it!
Pode crer! – You bet!/You can bet on it!
Por outro lado... – On the other hand...
Primeiro as damas! – Ladies first!
Puxa vida! – Gee!
Qual é a graça? – What's so funny?
Qual é o lance? – What's the deal?
Qual é o placar? – What's the score?
Qual é a pressa? – What's the rush?
Qual é o problema? – What's the matter?
Quando o assunto é... – When it comes to...
Que eu saiba... – As far as I know...
Que eu me lembre... – As far as I remember...
Que mundo pequeno! – Small world!
Que vergonha! (referindo-se a alguém) – Shame on you!
Resumindo... – In short...
Sabe de uma coisa? – You know what?
Se eu estivesse na sua pele/no seu lugar... – If I were in your shoes...
Segura as pontas! – Hang on in there!/Hang in there!
Sei lá! – Beats me!
Sem desculpas! – No ifs, ands, or buts!
Sem dúvida! – Definitely!/Absolutely!
Sem ressentimentos. – No hard feelings.
Sério? – Really?
Sinta-se em casa! – Be my guest!/Make yourself at home!
Sirva-se! – Help yourself!
Some daqui! – Get lost!
Só por cima do meu cadáver! – Over my dead body!
Sorte sua! – Lucky you!
Tanto faz! – It's all the same!/It makes no difference!/Whatever!
Te vejo por aí! – I'll see you around!
Tô brincando! – Just kidding!
Todo cuidado é pouco! – You can never be too careful!
Vá com calma! – Take it easy!
Vai dar tudo certo! – Things will work out all right!
Vai te fazer bem! – It will do you good!
Vale a pena! – It's worth it!
Vamos entrando! – Come on in!
Você é quem manda! – You're the boss!
Você é quem sabe! – It's up to you!
Você está falando sério? – Are you serious?

Você tem fogo? – Do you have a light?
Vivendo e aprendendo! – Live and learn!

VOCABULÁRIO 27: VOCABULÁRIO COMERCIAL
VOCABULARY 27: BUSINESS VOCABULARY

O objetivo desta seção é apresentar o vocabulário específico da linguagem comercial utilizado em diversos setores do mundo dos negócios. Aqui você encontrará termos empregados em marketing, importação e exportação, propaganda, finanças e outros.

Não deixe de consultar também as seguintes seções de Vocabulário ativo:
» Uma reunião de negócios – A business meeting p. 95
» Trabalho e carreira – Work and career p. 92
» O dinheiro movimenta o mundo – Money makes the world go round p. 102
» Usando computadores – Using computers p. 127 (inclui diversos termos atuais sobre tecnologia da informação)

Abono: bonus
Abordagem: approach
Acionista: shareholder
Ações de empresa: shares
Ações de mercado: stocks
Acordo: agreement
Aduana: customs
Agência de publicidade: advertising agency
Agenda: agenda
Agiota: money lender/loan shark (informal)
Alfândega: customs
Alta: boom
Amostra: sample
Anunciar: to advertise/advertised/advertised
Anúncio: advertisement, ad
Aplicar dinheiro: to invest/invested/invested
Apólice de seguros: insurance policy
Aposentar-se: to retire/retired/retired
Aposentado: retiree
Atas de uma reunião: minutes of a meeting
Atender a uma demanda: meet a demand
Atingir o ponto de equilíbrio: to break even
Atividade principal de uma empresa: core business
Ativos e passivos: assets and liabilities
Auditor: auditor
Auditoria: auditing
Aumentar: to boom

Aumentar o preço: to mark up
Aumento de preços: mark-up
Avaliação: appraisal
Avalista: guarantor
Balancete: balance sheet
Balanço: balance sheet
Balanço comercial: balance of trade
Benefícios: fringe benefits, perks
Bolsa de valores: stock market
Bonificação: bonus
Campanha de publicidade: advertising campaign
Candidato: applicant
Candidatar-se a um emprego: to apply for a job
Capital de giro: working capital
Carro da empresa: company car
Cédula: bill
Comprador: buyer
Compromisso: appointment
Conciliação: agreement
Concorrente: competitor
Concorrência: competition; bidding
Conta: account, bill
Contador: accountant
Contas a pagar: accounts payable
Contas a receber: accounts receivable
Contratar: to hire/hired/hired
Contrato: agreement
Corretor: broker
Corretor de seguros: insurance broker
Crescimento rápido: boom
Cumprir um prazo: meet a deadline
Currículo: résumé
Custo de vida: cost of living
Dar aviso prévio: to give notice
Data de vencimento: maturity date
Demitir: to fire/fired/fired, to dismiss/dismissed/dismissed
Desenvolver-se rapidamente: to boom
Desvalorização: devaluation
Dinheiro (moeda corrente; unidade monetária): currency
Dinheiro em espécie: hard cash
Diretoria: board of directors
Discriminação de itens: breakdown of items

Emprego em meio-período: part-time job
Emprego em tempo integral: full-time job
Empresa iniciante, uma: a start-up company
Empréstimo bancário: bank loan
Entrada: down payment
Escritório central: headquarters
Especialidade: expertise
Expansão econômica: boom
Extrato bancário: bank statement
Fabricante: manufacturer
Fabricar: to manufacture/manufactured/manufactured
Fatura: invoice, bill
Fazer publicidade: to advertise/advertised/advertised
Fechar um negócio: to close a deal/to clinch a deal
Fiador: guarantor
Filial: branch office
Fluxo de caixa: cashflow
Fornecedor: supplier
Franqueado: franchisee
Franqueador: franchiser
Franquia: franchise
Frete: freight
Frete aéreo: air freight
Funcionário: employee
Fusão: merger
Hipoteca: mortgage
Hora marcada: appointment
Horário comercial: business hours
Importância: amount of money
Imposto: duty
Instalações comerciais: business facilities
Instruções: briefing
Investir: to invest/invested/invested
Isento de impostos aduaneiros: duty-free
Laudo de avaliação: appraisal report
Licença-maternidade: maternity leave
Licitação: bidding
Linha de montagem: assembly line
Lista de tópicos que serão discutidos: agenda
Logotipo: logo
Lucro: profit
Mão-de-obra: labor

Margem de lucro: mark-up, profit margin
Matéria-prima: raw material
Matriz: headquarters
Melhor indicador: benchmark
Mercado de ações: stock market
Mercadoria: commodity
Moeda corrente: currency
Nicho de mercado: market niche
Nota: bill
Número de identificação pessoal: personal identification number (PIN)
O mais breve possível: ASAP (as soon as possible)
Oportunidades de promoção: promotion opportunities
Orçamento: budget
Organização não-governamental (ONG): non-governmental organization (NGO)
Organização sem fins lucrativos: non-profit organization
Pagamento inicial: down payment
Participação no mercado: market share
Peso bruto: gross weight
Peso líquido: net weight
Pessoa com maior autoridade em uma grande empresa: CEO (Chief Executive Officer)
Pessoa viciada em trabalho: workaholic
Plano de carreira: career plan
Plano de pensão: pension plan
Ponto de equilíbrio: break-even point
Ponto de referência: benchmark
Preço de custo: cost price
Prestações: installments
Produto básico, primário: commodity
Produto interno bruto (PIB): Gross Domestic Product (GDP)
Propaganda: advertisement, ad
Prosperar: to boom
Publicidade: advertising
Quantia de dinheiro: amount of money
Quebra de contrato: breach of contract
Recolocação de executivos: outplacement
Redução da força de trabalho, do número de funcionários de uma empresa: downsizing
Relação custo-benefício: cost-benefit ratio
Rescisão de contrato: breach of contract
Resumo: briefing
Saldo bancário: balance
Seguro médico: medical insurance
Sinal: down payment

Sindicato: union
Superlotação (avião, trem etc.): overbooking
Tarifas de frete: freight charges, freight rates
Taxa: duty
Taxa de juros: interest rate
Tendências do mercado: market trends
Unidade monetária: currency
Valor agregado: added value
Zona de livre comércio: free trade zone
Zona franca: free trade zone

III. GUIA DE REFERÊNCIA GRAMATICAL
GRAMMAR REFERENCE GUIDE

III. GUIA DE REFERÊNCIA GRAMATICAL – GRAMMAR REFERENCE GUIDE

O objetivo deste capítulo é apresentar um panorama da estrutura da língua inglesa e servir de apoio e referência a todas as frases e diálogos apresentados no livro.

Este conteúdo também será útil para você compreender melhor (e relembrar) conceitos fundamentais do idioma – como a formação de frases e perguntas em inglês nos vários tempos verbais (presente, passado, futuro, condicional), o uso dos verbos auxiliares –, e esclarecer dúvidas relativas aos principais aspectos gramaticais do inglês.

Lembre-se que a estrutura gramatical é o esqueleto que sustenta as frases e diálogos de um idioma; daí a importância dos quadros esquemáticos aqui apresentados.

Serão apresentados também os significados mais usuais do verbo get, um dos mais flexíveis da língua inglesa, usado em diversos contextos.

1. Uso dos pronomes: pessoal, objeto, possessivo e reflexivo

Pronome pessoal	Pronome objeto	Pronome possessivo adjetivo	Pronome possessivo	Pronome reflexivo
I	me	my	mine	myself
You	you	your	yours	yourself
He	him	his	his	himself
She	her	her	hers	herself
It	it	its	its	itself
We	us	our	ours	ourselves
You	you	your	yours	yourselves
They	them	their	theirs	themselves

Exemplos de uso dos pronomes em frases contextualizadas

PRONOME PESSOAL (I; YOU; HE; SHE; IT; WE; YOU; THEY)

I had a great time at the party yesterday.
Eu me diverti muito na festa ontem.

You don't smoke, do you?
Você não fuma, fuma?

He enjoys learning languages.
Ele gosta de aprender idiomas.

Where does she live?
Onde ela mora?

How much did it cost?
Quanto custou?

We sometimes go to the beach in the summer.
Às vezes nós vamos à praia no verão.

They are usually on time for their appointments.
Eles normalmente são pontuais em seus compromissos.

PRONOME OBJETO (ME; YOU; HIM; HER; IT; US; YOU; THEM)

Obs.: Usado após verbos principais ou preposições.

Can you lend me your pen for a second?
Você pode me emprestar sua caneta por um segundo?

I don't think I understood you quite well. Can you say it again?
Acho que não te entendi muito bem. Você pode repetir?

Where's Neil? I need to talk to him for a minute.
Onde está o Neil? Preciso falar com ele um minuto.

Laura is over there. Can you see her?
A Laura está alí. Consegue vê-la?

Your new cell phone is great. How much did you pay for it?
O seu celular novo é ótimo. Quanto você pagou por ele?

I don't think they can understand us.
Não acho que eles possam nos entender.

Where are Sean and Mel? We need them to help us with our school assignment.
Onde estão o Sean e a Mel? Precisamos que eles nos ajudem com a nossa lição de casa.

PRONOME POSSESSIVO ADJETIVO (MY; YOUR; HIS; HER; ITS; OUR; YOUR; THEIR)

This is my first trip abroad and I'm really excited about it!
Esta é a minha primeira viagem ao exterior e eu estou realmente muito animado!

What's your e-mail address?
Qual é o seu endereço de e-mail?

Jack can't find his cell phone. Have you seen it around?
Jack não consegue encontrar o celular dele. Você o viu por aí?

Karen is well-known for her ability to speak different languages.
Karen é famosa pela sua habilidade em falar línguas diferentes.

"That's my dog. Its name is Ralphie", Joe told his friends.
"Aquele é o meu cachorro. O nome dele é Ralphie", Joe disse aos amigos.

"Don't you think our new science teacher looks kind of weird?", Neil asked his classmates.
"Vocês não acham que o nosso novo professor de ciências parece um pouco estranho?", Neil perguntou aos colegas de classe.

"I don't care what you think about my life. Your opinion doesn't matter to me!", Bob told Maggie and Stan.
"Não me importo com o que vocês pensam da minha vida. Sua opinião não me interessa!", Bob disse para a Maggie e o Stan.

The Rockers have just launched a new CD. Have you heard any of their new songs yet?
Os Rockers acabaram de lançar um novo CD. Você já ouviu alguma das canções novas deles?

PRONOME POSSESSIVO (MINE; YOURS; HIS; HERS; ITS; OURS; YOURS; THEIRS)
Obs.: Usado em fim de frase.

This is not Barry's pen. It's mine!
Esta caneta não é do Barry. É minha!

My car is parked over there. Where is yours?
Meu carro está estacionado ali. Onde está o seu?

That's Brian's briefcase. I'm sure it's his.
Aquela pasta é do Brian. Tenho certeza que é dele.

Phil gave the book back to Mary. It was hers.
Phil devolveu o livro a Mary. Era dela.

Is that camera ours?
Aquela máquina fotográfica é nossa?

These coats are theirs.
Estes casacos são deles.

PRONOME REFLEXIVO (MYSELF; YOURSELF; HIMSELF; HERSELF; ITSELF; OURSELVES; YOURSELVES; THEMSELVES)

Don't worry about me. I'm old enough to take care of myself.
Não se preocupe comigo. Tenho idade suficiente para me cuidar.

There's no need for you to get so angry. You have to learn to control yourself!
Não há por que ficar tão bravo. Você precisa aprender a se controlar!

Josh cut himself shaving this morning.
Josh se cortou fazendo a barba esta manhã.

Kate is so vain! She looks at herself in the mirror about a hundred times every day.
A Kate é tão vaidosa! Ela se olha no espelho umas cem vezes por dia.

Our cat burned itself. That's why it's been quiet lately.
Nosso gato se queimou. É por isso que ele tem estado quieto ultimamente.

We should not blame ourselves for what happened. We had nothing to do with it.
Não devemos nos culpar pelo que aconteceu. Não tivemos nada a ver com aquilo.

Gary and Jason are grown-up. They can take care of themselves.
Gary e Jason são crescidos. Eles podem se cuidar.

2. O presente – perguntas no tempo presente: verbos auxiliares do e does

Você já sabe que, em português, para transformar sentenças afirmativas em interrogativas, basta acrescentar o ponto de interrogação e mudar a entonação. Veja o exemplo abaixo:

Você gosta de viajar. (sentença afirmativa)
Você gosta de viajar? (sentença interrogativa)
           entonação!

Em inglês, para transformar uma afirmação em pergunta (com poucas exceções, como é o caso do verbo to be e dos verbos modais – veja pp. 191 e 199, respectivamente), além do ponto de interrogação e da entonação, é necessário acrescentar um verbo auxiliar no início da frase. Os verbos auxiliares determinam em que tempo (presente, passado, futuro ou condicional) a pergunta está sendo feita. No caso do presente, o verbo auxiliar a ser utilizado para o sujeito "você" é o Do. Veja o exemplo anterior, agora em inglês:

You like to travel. (affirmative sentence)
Do you like to travel? (interrogative sentence)
     intonation!

Obs.: No exemplo acima, do é o verbo auxiliar e like o verbo principal. Veja na p. 222 uma lista com os verbos principais mais utilizados na conversação cotidiana.

Veja no quadro abaixo alguns exemplos de perguntas e respostas curtas no tempo presente; observe o uso do verbo auxiliar does, no caso dos pronomes pessoais he, she e it.

DO	I you have a pet? we they work here?	Yes, I do./No, I don't. Yes, they do./No, they don't.
DOES	he speak English? she live in New York? it drink milk?	Yes, he does./No, he doesn't. Yes, she does./No, she doesn't. Yes, it does./No, it doesn't.

Exemplos de uso em frases contextualizadas

Do you smoke?
Você fuma?

Does Mary have a car?
A Mary tem carro?

Do John and Sheila have children?
O John e a Sheila têm filhos?

Does Paul travel on business very often?
O Paul viaja a negócios com muita freqüência?

Do we have time for another cup of coffee before we leave?
Temos tempo para outra xícara de café antes de sairmos?

Obs. 1: Podemos também iniciar perguntas com os verbos auxiliares na forma negativa. Veja os exemplos abaixo:

Don't you like to work here?
Você não gosta de trabalhar aqui?

Doesn't she live in São Paulo?
Ela não mora em São Paulo?

Don't you speak Spanish?
Você não fala espanhol?

Obs. 2: Na construção de sentenças afirmativas no presente, com os sujeitos he, she e it, deve-se acrescentar um "s" ao verbo principal. Quando o verbo terminar em "o", "ch", "sh" e "ss" deve-se acrescentar "es" a ele. No caso de frases com o verbo "have" (ter) a mudança é para "has". Veja os exemplos abaixo:

Paul works from nine to five every day.
Paul trabalha das nove às cinco todos os dias.

Nancy goes to the gym in the evening.
Nancy vai à academia à noite.

Mick watches TV all day long.
Mick assiste TV o dia inteiro.

Diane brushes her teeth after every meal.
Diane escova os dentes após cada refeição.

Jeff passes by my street on his way to work every day.
Jeff passa pela minha rua a caminho do trabalho todos os dias.

Harry has two kids.
Harry tem dois filhos.

Obs. 3: Com todos os outros sujeitos (I; you; we; you; they), basta eliminar o verbo auxiliar da frase para passá-la da forma interrogativa para a afirmativa.

Do they work here? – They work here.
Eles trabalham aqui? – Eles trabalham aqui.
Interrogative – Affirmative

Do you travel very often? – You travel very often.
Você viaja com muita freqüência? – Você viaja com muita freqüência.
Interrogative – Affirmative

3. Verbo to be – presente e passado

Para transformar uma frase afirmativa, construída com o verbo to be, em interrogativa, basta inverter a posição do sujeito e a do verbo. Veja os exemplos abaixo:

John is a good teacher. (affirmative sentence)
Is John a good teacher? (interrogative sentence)

Veja no quadro abaixo a conjugação do verbo to be no presente, nas formas afirmativa, negativa e interrogativa.

BE = SER, ESTAR (PRESENT TENSE)

Affirmative	Negative	Interrogative
I am	I'm not	Am I?
You are	You aren't	Are you?
He is	He isn't	Is he?
She is	She isn't	Is she?
It is	It isn't	Is it?
We are	We aren't	Are we?
You are	You aren't	Are you?
They are	They aren't	Are they?

Exemplos de uso em frases contextualizadas

FORMA AFIRMATIVA

I'm a little tired. I think I'm not going out tonight.
Estou um pouco cansado. Acho que não vou sair hoje à noite.

You are taller than Mike, aren't you?
Você é mais alto do que Mike, não é?

Tom is afraid of dogs.
Tom tem medo de cachorros.

Carol is a nurse. She works in a big hospital downtown.
A Carol é enfermeira. Ela trabalha em um grande hospital na cidade.

It's really hot today!
Está quente mesmo hoje!

We are both teachers.
Ambos somos professores.

You and Helen are my best friends.
Você e Helen são meus melhores amigos.

Jack and Bob are big fans of basketball.
Jack e Bob são grandes fãs de basquete.

FORMA NEGATIVA

I'm not very hungry, I think I'll just have a snack.
Não estou com muita fome, acho que só vou tomar um lanche.

You aren't very interested in politics, are you?
Você não está muito interessado em política, está?

Mr. Spencer isn't in at the moment. Would you like to leave a message?
O sr. Spencer não está no momento. Você gostaria de deixar um recado?

Diane isn't feeling very well today.
Diane não está se sentindo muito bem hoje.

There's no need for you to put on a coat. **It isn't** that cold outside.
Não há necessidade de você colocar um casaco. Não está tão frio assim lá fora.

We aren't sure if we are going to travel next weekend. It will depend on the weather.
Não temos certeza se vamos viajar no próximo fim de semana. Vai depender do tempo.

You and Terry aren't ready for the test yet. I think you should study a little more.
Você e Terry não estão prontos para a prova ainda. Acho que vocês devem estudar um pouco mais.

Melanie and Heather aren't sure what courses they want to take in college.
Melanie e Heather não estão certas quanto aos cursos que querem fazer na faculdade.

FORMA INTERROGATIVA

Am I late for the meeting?
Estou atrasado para a reunião?

Are you afraid of flying?
Você tem medo de voar?

Is Mike happy about his new job?
Mike está contente com o emprego novo?

Is Pamela used to driving in such heavy traffic?
A Pamela está acostumada a dirigir nesse trânsito ruim?

Is it cold outside?
Está frio lá fora?

Are we late for the show?
Estamos atrasados para o show?

Are you and Nick sure the party is tonight?
Você e o Nick têm certeza que a festa é hoje à noite?

Are Linda and Fred ready to go?
A Linda e o Fred estão prontos para ir?

Veja no quadro abaixo a conjugação do verbo to be no passado e nas formas afirmativa, negativa e interrogativa.

BE = SER, ESTAR (PAST TENSE)

Affirmative	Negative	Interrogative
I was	I wasn't	Was I?
You were	You weren't	Were you?
He was	He wasn't	Was he?
She was	She wasn't	Was she?
It was	It wasn't	Was it?
We were	We weren't	Were we?
You were	You weren't	Were you?
They were	They weren't	Were they?

Exemplos de uso em frases contextualizadas

FORMA AFIRMATIVA

I was late for the meeting, so I got a cab.
Estava atrasado para a reunião, então peguei um táxi.

You were absent yesterday, weren't you?
Você esteve ausente ontem, não esteve?

Barry was feeling a bit under the weather and decided to call off his appointments for the day.
Barry estava se sentindo um pouco indisposto e decidiu cancelar os compromissos do dia.

Susan was just seventeen when she got pregnant.
Susan tinha apenas dezessete anos quando engravidou.

I really enjoyed my trip to Europe. **It was** a great opportunity to learn more about other countries' culture.
Aproveitei muito minha viagem à Europa. Foi uma ótima oportunidade para aprender mais sobre a cultura de outros países.

We were soaking wet after the storm and had to go home and get changed.
Ficamos ensopados depois do temporal e tivemos de ir para casa nos trocar.

You and Tim were the best students in our class.
Você e o Tim eram os melhores alunos da nossa turma.

Martha and Jill were too busy to come to the party.
Martha e Jill estavam ocupadas demais para vir à festa.

FORMA NEGATIVA

I wasn't aware of the consequences when I said that!
Eu não estava ciente das conseqüências quando disse aquilo!

You weren't late for class today, were you?
Você não chegou atrasado para a aula hoje, chegou?

Daniel wasn't very enthusiastic when I told him the news.
Daniel não ficou muito entusiasmado quando lhe contei as notícias.

Tina wasn't very naughty as a child.
Tina não foi uma criança muito travessa.

That leather jacket wasn't as expensive as I thought it would be.
Aquela jaqueta de couro não foi tão cara quanto eu pensei que seria.

We weren't responsible for what happened.
Não fomos responsáveis pelo que aconteceu.

You and Mark weren't **the only ones who missed the party.**
Você e o Mark não foram os únicos que perderam a festa.

Sean and Cynthia weren't **present at the meeting yesterday.**
Sean e Cynthia não estavam presentes na reunião ontem.

FORMA INTERROGATIVA

Was I **the only one absent?**
Eu fui o único ausente?

Were you **busy when I called?**
Você estava ocupado quando eu liguei?

Was Bill **at the party last night?**
O Bill esteve na festa ontem à noite?

Was Claire **surprised with the news?**
Claire ficou surpresa com as notícias?

Was it **easy for you to do those exercises?**
Foi fácil para você fazer aqueles exercícios?

Were you and Phil **aware of the consequences?**
Você e o Phil estavam cientes das conseqüências?

Were Bianca and Patty **polite with you?**
Bianca e Patty foram educadas com você?

4. O passado – perguntas no passado: verbo auxiliar did

Para construir uma sentença no passado é preciso conhecer os verbos principais (veja Verbos principais p. 221), que se dividem em regulares e irregulares. Os verbos regulares apresentam a terminação **ed**, tanto para o passado quanto para o particípio passado. É o caso dos verbos **to work**/work**ed**/work**ed** (trabalhar) e **to need**/need**ed**/need**ed** (precisar de). Já os verbos irregulares apresentam uma terminação especial para o passado e para o particípio passado. É o caso dos verbos **to go**/went/gone (ir) e **to buy**/bought/bought (comprar). Veja a seguir alguns exemplos de sentenças no passado.

Jeff arrived **home late last night.**
Jeff chegou tarde em casa ontem à noite.

Sam only understood what Diane meant after she explained it to him for the second time.
Sam só entendeu o que Diane queria dizer depois que ela explicou para ele pela segunda vez.

"Mark, I forgot to tell you that Patty called you in the morning", Joe told Mark.
"Mark, esqueci de falar que a Patty ligou para você de manhã", Joe disse a Mark.

Andrew drank a whole bottle of whisky last night. That's why he has a hangover today!
Andrew bebeu uma garrafa inteira de uísque ontem à noite. É por isso que ele está com ressaca hoje!

No caso de sentenças negativas, utiliza-se didn't (forma contraída do verbo auxiliar did + not) antes dos verbos principais no presente. Veja os exemplos abaixo:

Sally and Tim didn't go to school yesterday. They stayed home all day.
Sally e Tim não foram à escola ontem. Ficaram em casa o dia inteiro.

Paul didn't have time to study for the test. That's why he's worried.
Paul não teve tempo de estudar para a prova. É por isso que ele está preocupado.

"I didn't know Kate was married", said Norman to his friends.
"Não sabia que a Kate era casada", disse Norman aos amigos.

Para fazer perguntas no passado, utilizamos o verbo auxiliar did (com poucas exceções, como é o caso do verbo to be e dos verbos modais – veja Verbo to be – presente e passado p. 191, e Verbos modais p. 199). Veja no quadro abaixo alguns exemplos de perguntas e respostas simples no passado.

DID	I	
	you like the movie?	Yes, I did./No, I didn't.
	he come here yesterday?	Yes, he did./No, he didn't.
	she enjoy the party?	Yes, she did./No, she didn't.
	it	
	we	
	you go to the movies last night?	Yes, we did./No, we didn't.
	they travel last week?	Yes, they did./No, they didn't.

Exemplos de uso em frases contextualizadas

Did you see Karen last night?
Você viu Karen ontem à noite?

Did Josh pay you back the money he borrowed from you yesterday?
O Josh devolveu o dinheiro que pegou emprestado de você ontem?

Did Jennifer enjoy the party last night?
A Jennifer se divertiu na festa ontem à noite?

Did it rain here yesterday?
Choveu aqui ontem?

Did we do something wrong?
Fizemos algo errado?

Did you and Neil finish your homework?
Você e o Neil terminaram a lição de casa?

Did Tim and Barbra tell you what happened?
O Tim e a Barbra lhe contaram o que aconteceu?

Obs.: São também comuns perguntas com o verbo auxiliar did na forma negativa. Veja os exemplos abaixo:

Didn't you like the movie?
Você não gostou do filme?

Didn't Paul tell you the news?
O Paul não lhe contou as notícias?

Didn't they have a good time at the party last night?
Eles não se divertiram na festa ontem à noite?

5. O futuro – perguntas no futuro: verbo auxiliar will
O futuro pode ser expresso com o verbo auxiliar will (veja também Futuro imediato p. 207). Para construir uma frase afirmativa no futuro com o verbo auxiliar will, basta colocá-lo antes do verbo principal da frase. É importante destacar que a forma contraída de will (I'll; you'll; he'll; she'll; it'll; we'll; you'll; they'll) é bastante utilizada. Veja alguns exemplos abaixo:

She'll stay home tonight. She's too tired to go out.
Ela ficará em casa hoje. Está cansada demais para sair.

Can you lend me 20 bucks? I'll pay you back tomorrow.
Você pode me emprestar 20 dólares? Eu devolvo amanhã.

"They'll be waiting for you at the club tomorrow", said Jim to a friend.
"Eles estarão esperando você no clube amanhã", disse Jim a um amigo.

Para fazer perguntas no futuro, utilizamos o verbo auxiliar will antes do sujeito e do verbo principal. Veja no quadro abaixo alguns exemplos de perguntas e respostas simples no futuro.

WILL	I you visit them next month?	
	you visit them next month?	Yes, I will./No, I won't.
	he understand the story?	Yes, he will./No, he won't.
	she come here next week?	Yes, she will./No, she won't.
	it	
	we visit Europe next year?	Yes, we will./No, we won't.
	you need those books?	Yes, we will./No, we won't.
	they travel by bus?	Yes, they will./No, they won't.

Exemplos de uso em frases contextualizadas

Will you be at home in the afternoon tomorrow?
Você estará em casa amanhã à tarde?

Will I see you next week?
Verei você na próxima semana?

Will they buy those books?
Eles comprarão aqueles livros?

Will we have time to visit the museum?
Teremos tempo para visitar o museu?

6. Perguntas no condicional: verbo auxiliar would

O tempo condicional em inglês é expresso através do uso do verbo auxiliar would, que corresponde em português às terminações "ia", "iam", "íamos" dos verbos, como em "gostaria", "comprariam" e "viajaríamos". A forma contraída de would (I'd; you'd; he'd; she'd; it'd; we'd; you'd; we'd; they'd) é bastante usual. Veja alguns exemplos abaixo:

I'd prefer to stay home tonight. I'm really tired.
Preferiria ficar em casa hoje à noite. Estou realmente cansado.

Barry would like to live in the countryside.
Barry gostaria de viver no interior.

We'd visit all the attractions if we had the time.
Visitaríamos todas as atrações se tivéssemos tempo.

They'd like to spend their vacation on the beach.
Eles gostariam de passar as férias na praia.

Para fazer perguntas no condicional, utilizamos o verbo auxiliar would antes do sujeito e do verbo principal. Veja no quadro abaixo alguns exemplos de perguntas e respostas simples no condicional.

	I	
	you like some coffee?	Yes, I would./No, I wouldn't.
	he come here today?	Yes, he would./No, he wouldn't.
WOULD	she prefer to see a movie?	Yes, she would./No, she wouldn't.
	it	
	we have time to visit them?	Yes, we would./No, we wouldn't.
	you like to go with us?	Yes, we would./No, we wouldn't.
	they do that for us?	Yes, they would./No, they wouldn't.

Exemplos de uso em frases contextualizadas

Would you like to go to the movies with us?
Você gostaria de ir ao cinema conosco?

Would you turn down that job offer if you were in my shoes?
Você recusaria aquela oferta de trabalho se estivesse em meu lugar?

Would Jeff understand what happened if we explained it to him?
Jeff entenderia o que aconteceu se nós explicássemos para ele?

Would Carol do us a favor?
A Carol nos faria um favor?

Would Terry like to go horse-riding with us?
Terry gostaria de cavalgar conosco?

7. Verbos modais: can, could, must, should, may, might

Assim como o verbo to be, os modal verbs (verbos modais) não necessitam dos verbos auxiliares (do, does, did, will e would). Para transformar uma sentença com verbo modal de afirmativa para interrogativa, basta inverter a ordem, colocando o verbo modal antes do sujeito. Veja o exemplo abaixo:

Mary can speak French fluently. (affirmative sentence)
Mary sabe falar inglês fluentemente. (sentença afirmativa)

Can Mary speak French fluently? (interrogative sentence)
A Mary sabe falar francês fluentemente? (sentença interrogativa)

Usos dos verbos modais

CAN: é usado para expressar habilidade ou para dizer que algo é possível. Também é um modo informal de pedir permissão. A negativa de can é can't ou cannot. Veja os exemplos abaixo:

Mary lived in Madrid. That's why she can speak Spanish so well.
Mary morou em Madri. É por isso que ela sabe falar espanhol tão bem.

I can pick you up at the airport.
Posso pegar você no aeroporto.

Can you see them from here?
Você consegue vê-los daqui?

Nick is only four years old, but he can already ride a bike.
Nick só tem quatro anos de idade, mas já sabe andar de bicicleta.

Can I use your cell phone?
Posso usar seu celular?

I can't go with you to the mall. I'm busy.
Não posso ir com você ao shopping. Estou ocupado.

COULD: é o passado e condicional de can. É usado para expressar habilidade. Também pode ser empregado para pedir permissão. A forma negativa de could é couldn't.

Mark could ride a bike when he was just four years old.
Mark sabia andar de bicicleta quando tinha apenas quatro anos de idade.

Could you do me a favor?
Você poderia me fazer um favor?

I looked for my keys everywhere but I couldn't find them.
Procurei minhas chaves em todos os lugares mas não consegui encontrá-las.

MUST: expressa obrigação, algo que deve ser feito. É usado também quando temos certeza sobre algo ou fazemos uma conclusão lógica. A forma negativa de must é mustn't, que indica que algo é proibido ou não deve ser feito. Veja os exemplos abaixo:

We must be at the train station at 7 a.m. tomorrow.
Devemos estar na estação de trem às sete horas amanhã.

You must be tired from walking all day.
Você deve estar cansado de andar o dia inteiro.

That boy must be John's son. He looks just like him.
Aquele deve ser o filho de John. O garoto é a cara dele.

You mustn't smoke here!
Você não deve fumar aqui! (É proibido fumar aqui.)

SHOULD: é usado para expressar conselhos e recomendações, algo que deveria ser feito. A forma negativa de should é shouldn't.

You should put on a coat. It's cold out there.
Você devia colocar um casaco. Está frio lá fora.

Peter should apologize to Helen for what he did.
Peter deveria pedir desculpas a Helen pelo que fez.

You shouldn't work so hard. It's unhealthy.
Você não deveria trabalhar tanto. Não é saudável.

MAY: é usado para pedir permissão e também expressa possibilidade, algo que pode acontecer. A forma negativa de may é may not.

May I smoke here?
Posso fumar aqui?

The weatherman said it may rain in the afternoon.
O homem do tempo disse que pode chover à tarde/que talvez chova à tarde.

I may go to the club tonight.
Talvez eu vá ao clube hoje à noite.

I may not have time to go to the club tonight.
Talvez eu não tenha tempo de ir ao clube hoje à noite.

MIGHT: assim como may, o verbo modal might também expressa uma possibilidade. A negativa de might é might not.

It might rain tomorrow.
Pode chover amanhã. (Talvez chova amanhã.)

We might go to the movies this weekend.
Talvez nós iremos ao cinema neste fim de semana.

I don't know the answer to your question. Why don't you ask Alice? She might know.
Não sei a resposta para a sua pergunta. Por que você não pergunta a Alice? Talvez ela saiba.

They might not have time to finish the report today.
Talvez eles não tenham tempo de terminar o relatório hoje.

Veja no quadro abaixo alguns exemplos de perguntas e respostas curtas com os verbos modais:

CAN you help me?	Yes, I can./No, I can't.
COULD he do me a favor?	Yes, he could./No, he couldn't.
MUST she smoke?	Yes, she must./No, she mustn't.
SHOULD we cancel it?	Yes, we should./No, we shouldn't.
MAY we go now?	Yes, you may./No, you may not.

Exemplos de uso em frases contextualizadas

Can you do me a favor?
Você pode me fazer um favor?

Can you tell me the way to the nearest subway station?
Você pode me dizer como chegar à estação de metrô mais próxima?

Can you swim?
Você sabe nadar?

Could we have a private conversation?
Poderíamos ter uma conversa particular?

Must you always be that rude?
Você precisa sempre ser mal-educado desse jeito?

Must you make so much noise?
Você precisa fazer tanto barulho?

Should we invite Dave to the party?
Deveríamos convidar Dave para a festa?

Should I tell her the news?
Eu deveria contar as notícias para ela?

May I smoke here?
Posso fumar aqui?

May I leave earlier today?
Posso sair mais cedo hoje?

8. WH-questions: what, where, when, why, who, whose e how

Em inglês utiliza-se o termo **Wh-questions** para denominar certas palavras que normalmente são utilizadas para iniciar perguntas. As **Wh-questions** mais comuns são: **what** (o que), **where** (onde), **when** (quando), **why** (por que), **who** (quem), **whose** (de quem) e **how** (como).

Veja no quadro abaixo algumas das inúmeras combinações que podem ser feitas para formar perguntas mais longas com **Wh-questions**.

What	ARE	you doing now?
What	IS	your name?
Where	ARE	they going?
Where	DO	you live?
Where	DOES	she work?
When	DID	he buy a house?
Why	WILL	she need to buy a car?
What	WOULD	they prefer to do?
Who	CAN	we invite to the party?
Who	COULD	you meet at the conference?
Whose number	MUST	they call?
Why	SHOULD	I care?
How	MAY	I help you?

Exemplos de uso em frases contextualizadas

Where is she living now?
Onde ela está morando agora?

Who is Paul talking to?
Com quem Paul está falando?

What do you usually do on Saturday nights?
O que você geralmente faz nas noites de sábado?

What does UFO mean?
O que significa UFO?

What can I do for you?
Como posso lhe ajudar?

Where does Virginia live?
Onde a Virginia mora?

Where can we meet?
Onde podemos nos encontrar?

When are you planning to travel?
Quando você está planejando viajar?

When can you come by our office?
Quando você pode passar em nosso escritório?

Why did she do that?
Por que ela fez aquilo?

Whose is this ipod?
De quem é este ipod?

How can you say something like that?
Como você pode dizer algo assim?

How did that happen?
Como aconteceu aquilo?

Where can I find a hotel near here?
Onde posso encontrar um hotel aqui perto?

What do you think I should do?
O que você acha que eu deveria fazer?

How may I help you?
Como posso lhe ajudar?

    É importante lembrar que as Wh-questions também podem ser empregadas em frases afirmativas ou negativas, aparecendo no meio das sentenças. Veja os exemplos abaixo:

I can't believe what happened!
Não consigo acreditar no que aconteceu!

We don't know where Jane is spending her vacation this year.
Não sabemos onde Jane vai passar férias este ano.

They still don't know when Mary will return from Europe.
Eles ainda não sabem quando Mary retornará da Europa.

Nobody knows why Jim did that.
Ninguém sabe porque Jim fez aquilo.

I have no idea who that man is.
Não tenho a mínima idéia de quem seja aquele homem.

We don't know how to get to the airport from here.
Não sabemos como chegar ao aeroporto saindo daqui.

9. Formação do gerúndio: working, doing, making etc.

A formação do gerúndio em inglês é muito simples. Enquanto em português temos as terminações -ando, -endo e -indo (exs.: cantando, correndo, sorrindo), em inglês usa-se apenas a terminação -ing. Veja os exemplos abaixo:

Work (trabalhar) - **work**ing (trabalhando)
Read (ler) - **read**ing (lendo)
Go (ir) - **go**ing (indo)

    Quando o verbo termina em "e", omite-se o "e" e acrescenta-se o -ing.

Make (fazer, preparar) - **mak**ing
Take (pegar, levar) - **tak**ing

Exemplos de uso em frases contextualizadas

Don't disturb Tim now. He's studying for a test.
Não perturbe o Tim agora. Ele está estudando para um teste.

Helen is making a cake for Tom's birthday party.
A Helen está fazendo um bolo para a festa de aniversário do Tom.

Jane is watching a comedy.
Jane está assistindo a uma comédia.

Are you enjoying the show?
Você está gostando do show?

Your English is getting better and better!
Seu inglês está ficando cada vez melhor!

10. Present progressive: to be (present tense) + verb-ing

O present progressive, também conhecido como present continuous, descreve uma ação que está acontecendo no momento. É formado pela combinação do verbo to be no presente (conjugado) e do verbo principal no gerúndio, ou seja, acrescido da terminação -ing. Veja os exemplos contextualizados abaixo nas formas afirmativa, negativa e interrogativa.

Jim can't come to the phone right now. He is taking a shower. Would you like to leave a message?
O Jim não pode atender o telefone no momento. Ele está tomando banho. Você gostaria de deixar recado?

Nick isn't reading now. He is having lunch.
Nick não está lendo agora. Ele está almoçando.

What's Bob doing?
O que o Bob está fazendo?

O present progressive também pode ser usado para expressar a idéia de futuro quando nos referimos a ações previamente planejadas. Veja os exemplos a seguir:

I'm playing tennis with Gary at 6 p.m. today.
Eu vou jogar tênis com o Gary hoje às 18 horas.

A: Are you picking Jane up at the airport?
A: Você vai pegar a Jane no aeroporto?
B: No, I can't. I'm working tomorrow morning.
B: Não, não posso. Eu vou trabalhar amanhã de manhã.

11. Past progressive: to be (past tense) + verb-ing

O past progressive, ou past continuous, descreve uma ação que estava acontecendo quando outra a interrompeu. É formado pela combinação do verbo to be no passado (conjugado) e do verbo principal no gerúndio, ou seja, acrescido da terminação -ing. Veja os exemplos contextualizados abaixo, nas formas afirmativa, negativa e interrogativa.

I was driving to work when Fred called me on my cell phone this morning.
Estava indo de carro para o trabalho quando Fred me ligou no celular hoje de manhã.

Sorry, I wasn't listening to you. Can you please say it again?
Desculpe, não estava escutando você. Pode repetir?

Were you having lunch when I called?
Você estava almoçando quando eu liguei?

12. Futuro imediato: to be + going to + main verb

Conforme explicado no item 5 deste "Guia de referência gramatical" (p. 197), o futuro pode ser expresso com o verbo auxiliar will. Além disso, para se referir a ações previamente planejadas, usamos o futuro imediato, cuja estrutura é: to be + going to + main verb. O equivalente em português do futuro imediato são as estruturas que utilizam "vou", "vai", "vamos" e "vão" mais um verbo principal. Veja os exemplos abaixo.

Andy is going to travel to Dallas next week.
Andy vai viajar para Dallas na próxima semana.
Ou: **Andy is traveling to Dalllas next week.**
» Veja o item 10 (p. 206).

Jake and Bob are going to work tonight.
Jake e Bob vão trabalhar hoje à noite.
Ou: **Jake and Bob are working tonight.**
» Veja o item 10 (p. 206).

Diane is going to make a cake for Ted's birthday party.
Diane vai fazer um bolo para a festa de aniversário do Ted.
Ou: **Diane is making a cake for Ted's birthday party.**
» Veja o item 10 (p. 206).

13. O verbo haver: there + to be

O verbo "haver" em inglês é formado a partir da combinação da palavra there com o verbo to be conjugado. Veja abaixo as combinações possíveis:

There is = há (singular)
There are = há (plural)
There was = houve, havia (singular)
There were = houve, havia (plural)
There will be = haverá
There is going to be = vai haver (singular)
There are going to be = vai haver (plural)
There would be = haveria
There can be = pode haver
There may be = pode haver; talvez haja
There could be = poderia haver
There should be = deveria haver
There must be = deve haver
There has been = tem havido (singular)
There have been = tem havido (plural)
There had been = tinha havido

A forma negativa do verbo "haver" em inglês é constituída pela forma negativa do verbo to be e dos verbos auxiliares e modais. Observe:

There isn't – Não há
There aren't – Não há (plural)
There wasn't – Não houve; Não havia
There weren't – Não houve; Não havia (plural)
There won't be – Não haverá
There isn't going to be – Não vai haver
There aren't going to be – Não vai haver (plural)
There wouldn't be – Não haveria
There can't be – Não pode haver
There may not be – Pode não haver. Talvez não haja
There couldn't be – Não poderia haver
There shouldn't be – Não deveria haver

There mustn't be – Não deve haver
There hasn't been – Não tem havido
There haven't been – Não tem havido (plural)
There hadn't been – Não tinha havido

Exemplos de uso em frases contextualizadas

There is **a lot of information in this book.**
Há muita informação neste livro.

There weren't **many people at the trade show yesterday.**
Não havia muitas pessoas na feira de negócios ontem.

There is going to be **a party in our office next week.**
Vai haver uma festa em nosso escritório na próxima semana.

Please type carefully. There mustn't be **any mistakes on this document.**
Por favor digite com cuidado. Não deve haver nenhum erro neste documento.

There was **no time for Jim to do his homework.**
Não houve tempo para o Jim fazer a lição de casa.

There should be **some explanation. Don't you agree?**
Deveria haver alguma explicação. Você não concorda?

There is going to be **a great movie on TV tonight.**
Vai haver um ótimo filme na TV hoje à noite.

There may be **something wrong with Nick's computer.**
Pode haver algo errado com o computador do Nick.

There must be **some explanation for what happened.**
Deve haver alguma explicação para o que aconteceu.

There has been **a lot of rain recently.**
Tem havido muita chuva recentemente.

Para formar sentenças interrogativas, basta inverter a ordem do verbo to be e da palavra there. Veja os exemplos abaixo:

Is there a bank near here?
Há um banco aqui perto?

How many people were there at the conference?
Quantas pessoas havia no congresso?

Will there be a meeting tomorrow?
Vai haver uma reunião amanhã?

Has there been any problem?
Tem havido algum problema?

14. Comparação de adjetivos: as big as – bigger than – the biggest; as interesting as – more interesting than – the most interesting

Em primeiro lugar, é importante enfatizar que os adjetivos em inglês são invariáveis, ou seja, a mesma palavra é utilizada para masculino, feminino, singular e plural.

Veja nos exemplos abaixo que os adjetivos tall (alto, alta, altos, altas) e red (vermelho, vermelha, vermelhos, vermelhas) permanecem os mesmos, enquanto em português há variação:

Garoto alto: Tall boy
Garota alta: Tall girl
Garotos altos: Tall boys
Garotas altas: Tall girls

Um carro vermelho: A red car
Uma casa vermelha: A red house
Carros vermelhos: Red cars
Casas vermelhas: Red houses

Obs.: Lembre-se que todos os adjetivos apresentados no item Descrevendo traços de personalidade (Frases-chave), na p. 107, também são invariáveis.

A comparação de adjetivos curtos, short adjectives (big, hot, tall etc.), em inglês, é feita de forma diferente da comparação dos adjetivos longos, long adjectives (interesting, expensive, difficult etc.).

Veja a seguir as comparações de igualdade e superioridade e o superlativo dos short adjectives.

Comparison of short adjectives

EQUALITY: AS + SHORT ADJECTIVE + AS

Exemplos: as big as (tão grande quanto); as hot as (tão quente quanto); as young as (tão jovem quanto).

SUPERIORITY: SHORT ADJECTIVE + -ER + THAN

Exemplos: taller than (mais alto que); darker than (mais escuro que); older than (mais velho que).

SUPERLATIVE: THE + SHORT ADJECTIVE + -EST

Exemplos: the newest (o mais novo); the cheapest (o mais barato); the biggest (o maior).

Obs. 1: Quando um adjetivo termina em consoante-vogal-consoante (CVC) – por exemplo, big, hot –, dobra-se a última letra do adjetivo antes de acrescentar -er, na comparação de superioridade, ou -est, no superlativo. Veja os exemplos abaixo:

Rick's house is bigger than Steve's.
A casa de Rick é maior que a de Steve.

This summer has been definitely the hottest.
Este verão tem sido o mais quente, sem dúvida.

Obs. 2: Quando o adjetivo terminar em "y" (por exemplo, happy, easy, pretty, busy, heavy etc.) é preciso substituir o "y" por "i" antes de acrescentar -er, na comparação de superioridade, ou -est, no superlativo. Veja os exemplos abaixo:

This box is a lot heavier than that one. What's inside?
Esta caixa é muito mais pesada do que aquela. O que tem dentro?

Mary is the prettiest girl here.
Mary é a garota mais bonita aqui.

Exemplos de uso em frases contextualizadas

Today is as hot as yesterday.
Hoje está tão quente quanto ontem.

Terry is younger than Mike.
Terry é mais jovem que Mike.

Who's the oldest here?
Quem é o mais velho aqui?

The test was easier than we expected.
A prova foi mais fácil do que esperávamos.

Debora is the funniest girl I've ever met.
Debora é a garota mais engraçada que já conheci.

Patty is two years older than her sister Ann.
Patty é dois anos mais velha que sua irmã Ann.

Terry's apartment is bigger than mine.
O apartamento de Terry é maior que o meu.

Veja agora as comparações de igualdade, superioridade, inferioridade, superlativo e superlativo de inferioridade dos long adjectives.

Comparison of long adjectives

EQUALITY: AS + LONG ADJECTIVE + AS

Exemplos: as expensive as (tão caro quanto), as interesting as (tão interessante quanto), as beautiful as (tão bonito quanto).

SUPERIORITY: MORE + LONG ADJECTIVE + THAN

Exemplos: more important than (mais importante que), more difficult than (mais difícil que), more intelligent than (mais inteligente que).

INFERIORITY: LESS + LONG ADJECTIVE + THAN

Exemplos: less expensive than (menos caro que), less difficult than (menos difícil que), less interesting than (menos interessante que).

SUPERLATIVE: THE + MOST + LONG ADJECTIVE

Exemplos: the most interesting (o mais interessante), the most important (o mais importante), the most beautiful (o mais bonito).

SUPERLATIVE OF INFERIORITY: THE LEAST + LONG ADJECTIVE

Exemplos: the least important (o menos importante), the least interesting (o menos interessante), the least expensive (o menos caro).

Exemplos de uso em frases contextualizadas

"Living in Rome is as interesting as living in Paris", said Michael to his friends.
"Viver em Roma é tão interessante quanto viver em Paris", disse Michael aos amigos.

Riding a roller-coaster is definitely more exciting than riding a ferris wheel.
Andar na montanha-russa é sem dúvida mais emocionante que andar na roda gigante.

"That's by far the most interesting story I've ever heard", said Sean.
"Esta é de longe a história mais interessante que eu já ouvi", disse Sean.

Sandra's house is bigger than Kate's, but Kate's house is more comfortable.
A casa da Sandra é maior que a de Kate, mas a de Kate é mais confortável.

Learning how to speak Chinese must be as difficult as learning how to speak Russian.
Aprender a falar chinês deve ser tão difícil quanto aprender a falar russo.

That was the most boring movie I've ever seen. I nearly fell asleep in the movie theater.
Aquele foi o filme mais chato que já vi. Eu quase adormeci no cinema.

Japanese is definitely more difficult than English.
Japonês é sem dúvida mais difícil que inglês.

Os adjetivos good (bom, boa, bons, boas) e bad (ruim, ruins) são considerados irregulares. Veja abaixo as comparações de igualdade e superioridade e o superlativo desses adjetivos.

GOOD

AS + GOOD + AS = TÃO BOM/BOA QUANTO, TÃO BONS/BOAS QUANTO

BETTER THAN = MELHOR QUE, MELHORES QUE

THE BEST = O MELHOR, A MELHOR, OS MELHORES, AS MELHORES

BAD

AS + BAD + AS = TÃO RUIM QUANTO, TÃO RUINS QUANTO

WORSE + THAN = PIOR QUE, PIORES QUE

THE WORST = O PIOR, OS PIORES

Exemplos de uso em frases contextualizadas

Living in São Paulo is as good as living in Rio.
Viver em São Paulo é tão bom quanto viver no Rio.

The best products are not necessarily the most expensive ones.
Os melhores produtos não são necessariamente os mais caros.

Our present situation is better than the previous one.
Nossa situação atual é melhor do que a anterior.

Who's the best soccer player in the world in your opinion?
Quem é o melhor jogador de futebol do mundo na sua opinião?

What was the worst thing that ever happened to you?
Qual foi a pior coisa que já aconteceu com você?

My headache is worse now than before. I think I need to take another aspirin.
Minha dor de cabeça está pior agora que antes. Acho que preciso tomar outra aspirina.

15. Present perfect: have/has + past participle of main verbs

O present perfect é, em geral, um dos tempos verbais que apresenta maior dificuldade de compreensão e aplicação para o brasileiro, uma vez que não pode ser traduzido literalmente. A estrutura do present perfect é formada pelos verbos have ou has (no caso dos pronomes pessoais he, she e it) em conjunto com o particípio passado dos verbos principais (veja a terceira coluna da lista de verbos principais na p. 222). Observe o exemplo abaixo:

Mary mora em Chicago há uns 5 anos.

Seria incorreto traduzir o exemplo acima literalmente por **Mary lives in Chicago for about 5 years**, uma vez que a frase expressa uma ação iniciada há cinco anos (quando Mary mudou--se para Chicago) e que permanece a mesma no presente (Mary ainda mora em Chicago). Assim, a frase equivalente em inglês seria:

Mary has lived in Chicago for about 5 years.

Da mesma forma que no exemplo acima, há várias situações em que o present perfect deve ser aplicado. Os principais usos desse tempo verbal serão explicados a seguir.

A - Uma das situações mais comuns de uso do present perfect é a que descreve uma ação iniciada há algum tempo (minutos, horas, dias, anos etc.) e que ainda não terminou. Nessa situação, o uso das preposições for (há) e since (desde) é bastante freqüente.

Jason has been a teacher since he graduated from college.
Jason é professor desde que se formou na faculdade.

How long have you worked as a salesman?
Há quanto tempo você trabalha como vendedor?

Dennis has had that car for about three years.
Dennis tem aquele carro há aproximadamente três anos.

Observe que na frase anterior, Dennis comprou o carro há aproximadamente três anos e ainda o possui.

B - Quando a ênfase for na ação e não no tempo da frase. Nesses casos, o tempo não é mencionado. Quando perguntamos, por exemplo, Você viu o John por aí?, o que importa é saber se o interlocutor viu ou não o John, e não quando o viu. Assim, em inglês, a forma mais natural de se fazer essa pergunta é: Have you seen John around?, ou seja, usando a estrutura do present perfect. Nas frases em que o tempo passado estiver explícito (pelo uso de expressões como yesterday, last week, last year, some days ago etc.), emprega-se a estrutura do passado simples com o verbo auxiliar did (por exemplo: Did you see John yesterday?).

I've bought some new CDs. Do you want to listen to them?
Comprei alguns CDs novos. Você quer escutá-los?

Na frase acima, não importa quando os CDs foram comprados, e sim que foram comprados, estabelecendo uma ligação com o tempo presente, já que agora podemos ouvi-los.

Have you read The Catcher in the Rye by Salinger?
Você leu O Apanhador no Campo de Centeio do Salinger?

C - Em frases que descrevem um período de tempo que não terminou (today, this week, this month, this year etc.) e durante o qual a mesma ação pode voltar a acontecer. Quando dizemos, por exemplo, Paulo viajou para Nova York a negócios duas vezes este ano, a ação "viajar para Nova York" pode voltar a acontecer antes de o ano terminar. Nesse caso, a frase equivalente em inglês deve ser estruturada no present perfect: Paulo has traveled to New York on business twice this year. Veja outros exemplos abaixo:

Barry has eaten fish once this week.
Barry comeu peixe uma vez esta semana.

No exemplo acima, Barry poderá voltar a comer peixe antes de a semana acabar.

We haven't seen Jane today. Do you have any news from her?
Não vimos a Jane hoje. Você tem notícias dela?

Na frase acima, como o dia ainda não acabou, a ação "ver Jane" ainda pode ocorrer. Veja outros exemplos:

Edward has bought two new books this month.
Edward comprou dois livros novos este mês.

Roger has played basketball four times this week.
Roger jogou basquete quatro vezes esta semana.

D - Para expressar uma situação que acabou de acontecer, utilizando para isso a seguinte estrutura: **have (has) + just + past participle**. Veja os exemplos abaixo:

I'm sorry. Nick is not in. He has just left.
Sinto muito. O Nick não está. Ele acabou de sair.

Mark has just taken a shower.
Mark acabou de tomar banho.

A: Would you like some coffee?
A: Você quer um café?
B: Oh, no, thank you. I've just had some.
B: Não, obrigado. Acabei de tomar um.

E - Com as palavras **ever** ("já", no sentido de "alguma vez na vida"), **already** ("já", para ações cotidianas), **yet** (com o significado de "ainda", no final de frases negativas), **lately** (ultimamente) e **recently** (recentemente).

Have you worked a lot lately?
Você tem trabalhado muito ultimamente?

I haven't seen the new movie yet. Is it any good?
Eu ainda não vi o filme novo. É bom?

Have you ever been to China?
Você já esteve na China?

Sally has already visited Argentina.
Sally já visitou a Argentina.

Jack has traveled a lot on business recently.
Jack tem viajado muito a negócios recentemente.

16. Present perfect progressive or continuous: have/has + been + verb-ing

Assim como o **present perfect**, o **present perfect continuous** não tem uma tradução literal em português e descreve ações que foram iniciadas no passado e ainda não estão concluídas, ou seja, estão em progresso. Uma das maiores diferenças entre esses dois tempos é que o **pres-**

ent perfect continuous dá uma ênfase maior à continuidade da ação. Veja os exemplos abaixo:

Brian has lived in Lisbon for three years.
Brian mora em Lisboa há três anos.

Brian has been living in Lisbon for three years.
Brian está morando em Lisboa há três anos.

As duas frases acima têm o mesmo significado, mas a segunda, no present perfect continuous, dá mais ênfase ao progresso (continuidade) da ação: "está morando".
Assim como o present perfect, o present perfect continuous também é muito usado com os advérbios lately (ultimamente) e recently (recentemente).

What have you been doing lately?
O que você tem feito ultimamente?

Have you been working a lot recently?
Você tem trabalhado muito recentemente?

Veja outras comparações entre o present perfect e o present perfect continuous.

Rita has been playing the piano since she was ten.
Rita has played the piano since she was ten.

How long have you been studying English?
How long have you studied English?

Jeff has been working for that company since 2003.
Jeff has worked for that company since 2003.

O present perfect continuous tambem é usado para falar de uma ação que se iniciou no passado e acabou de terminar. Veja os exemplos abaixo:

Why are your eyes so red? Have you been crying?
Por que seus olhos estão tão vermelhos? Você esteve chorando?

You smell like alcohol. Have you been drinking?
Você cheira a alcóol. Esteve bebendo?

17. Past perfect: had + past participle of main verbs

O past perfect descreve uma ação que aconteceu antes de outra no passado. A estrutura do past perfect é formada pelo verbo had em conjunto com o particípio passado dos verbos principais (Veja terceira coluna na lista de verbos na p. 222).

Observe a seguinte sentença: Quando Elaine chegou à festa, Paul já tinha saído. Observe que primeiro Paul saiu, depois Elaine chegou, ou seja, a ação de Paul sair aconteceu antes da ação de chegar de Elaine, portanto antes do tempo passado. A frase equivalente em inglês seria: When Elaine got to the party, Paul had already left.

Veja outros exemplos abaixo:

Fred had heard rumors about the situation of the company when Jim told him the whole story.
Fred tinha ouvido boatos sobre a situação da empresa quando Jim lhe contou a história toda.

Tim had already had dinner when some of his friends dropped by his place.
Tim já tinha jantado quando alguns amigos apareceram em sua casa.

I had never visited a museum before I went to Paris.
Nunca tinha visitado um museu antes de ir a Paris.

18. Past perfect continuous: had + been + verb-ing

O past perfect continuous é mais formal e, por isso mesmo, menos empregado na conversação cotidiana. É utilizado, na grande maioria das vezes, para enfatizar por quanto tempo uma ação aconteceu antes de outra ocorrer. A estrutura do past perfect continuous é formada pelo verbo had em conjunto com been e o verbo principal no gerúndio.

We had been living in the downtown area for 20 years when we moved to a condo in the suburbs.
Estávamos morando no centro da cidade havia 20 anos quando nos mudamos para um condomínio no subúrbio.

Jason had been reading for about an hour when Martha arrived.
Jason estava lendo havia aproximadamente uma hora quando Martha chegou.

Carl had been working in the company for about five years when he was promoted.
Carl estava trabalhando na empresa havia uns cinco anos quando foi promovido.

19. Usos do verbo get

O verbo get, um dos verbos mais flexíveis da língua inglesa, pode assumir vários significados e ser usado em diversos contextos. Esta seção apresenta os significados mais usuais desse verbo na conversação cotidiana. É importante lembrar que, além dos significados apresentados a seguir, muitos outros podem ser formados a partir do uso do get em conjunto com preposições.

A – GET = OBTAIN: CONSEGUIR; ARRANJAR; ARRUMAR

How did you get Kate's e-mail address?
Como você conseguiu o endereço de e-mail da Kate?

Do you think you could get me a copy of this document?
Você acha que conseguiria me arranjar uma cópia deste documento?

I couldn't get tickets for the show. They were sold out.
Não consegui ingressos para o show. Estavam esgotados.

B – GET = RECEIVE: RECEBER

I get a lot of e-mails every day.
Recebo muitos e-mails todos os dias.

Most people like to get presents.
A maioria das pessoas gosta de receber presentes.

Stephanie got a post-card from a friend who lives in Hawaii.
Stephanie recebeu um cartão postal de um amigo que mora no Havaí.

C – GET = ARRIVE: CHEGAR

"What time did you get home from the party last night?", Sean asked a friend.
"Que horas você chegou em casa depois da festa de ontem à noite?", Sean perguntou a um amigo.

"We can get there in about half an hour if the traffic is okay", the cab driver told Mike.
"Nós chegamos lá em mais ou menos meia hora se o trânsito estiver bom", o motorista de táxi disse a Mike.

Larry got to the airport late and missed his flight.
Larry chegou no aeroporto atrasado e perdeu o vôo.

D – GET = BECOME: TORNAR-SE; FICAR (NO SENTIDO DE MUDANÇA DE ESTADO OU SITUAÇÃO)

The weather was kind of chilly early in the morning, but it's getting warmer now.
O tempo estava meio frio no início da manhã, mas está ficando mais quente agora.

"I'm getting tired of doing the same work day after day. I wish I could find another job", Barry complained to a friend.
"Estou ficando cansado de fazer o mesmo trabalho dia após dia. Gostaria de encontrar um outro emprego", Barry queixou-se para um amigo.

Can you please turn off the air-conditioner? It's getting way too cold in here.
Você pode desligar o ar-condicionado, por favor? Está ficando frio demais aqui dentro.

E – GET = EARN: GANHAR (DINHEIRO; SALÁRIO)

Tom gets a good salary working for an insurance company.
Tom ganha um bom salário trabalhando para uma empresa de seguros.

Diane gets about $200 dollars in tips a week working as a waitress in a big restaurant.
Diane ganha por volta de 200 dólares de gorjeta por semana trabalhando como garçonete em um grande restaurante.

"I need to find a better job. I'm not getting enough money to pay my bills working at this place", Justin told a friend.
"Preciso encontrar um emprego melhor. Não estou ganhando o suficiente para pagar minhas contas trabalhando neste lugar". Justin disse a um amigo.

F – GET = BUY: COMPRAR

That's a really nice tie. Where did you get it?
Essa gravata é bonita mesmo. Onde você a comprou?

I need to get new shoes. These ones are worn-out.
Preciso comprar sapatos novos. Estes aqui estão gastos.

Did you know today is Karen's birthday? I got a present for her.
Você sabia que hoje é o aniversário da Karen? Comprei um presente para ela.

G – GET = TAKE (THE BUS, THE TRAIN ETC.): PEGAR (O ÔNIBUS, O TREM ETC.)
     = CATCH (A COLD, THE FLU, A DISEASE ETC.): PEGAR (UM RESFRIADO, UMA GRIPE, UMA DOENÇA ETC.)

"If we get the 9 a.m. train we'll be in New York by noon", said Joe to his friends.
"Se pegarmos o trem das 9 horas estaremos em Nova York por volta do meio-dia", disse Joe aos amigos.

"I'm feeling kind of strange. I think I'm getting a cold", Neil told his wife.
"Estou me sentindo um pouco estranho. Acho que estou pegando um resfriado", Neil disse à esposa.

H – GET = PICK UP (TV CHANNELS, RADIO SIGNALS ETC.): SINTONIZAR (CANAIS DE TV, SINAIS DE RÁDIO ETC.)

Thanks to the new antenna, we can now get the sports channel.
Graças à nova antena agora podemos sintonizar o canal de esportes.

I - GET = UNDERSTAND: ENTENDER

I don't think Paul got the joke. He didn't laugh at all.
Acho que Paul não entendeu a piada. Ele nem riu.

"Did you get the general idea of what I tried to explain to you?", the coach asked the students.
"Vocês entenderam a idéia geral do que eu tentei explicar para vocês?", o técnico perguntou aos alunos.

"You don't need to say it again. I got the message all right", said Bill to Kate.
"Não precisa repetir. Entendi o recado direitinho", Bill disse para a Kate.

J - GET = ANSWER (THE PHONE, THE DOOR): ATENDER (O TELEFONE, A PORTA)

"Can you get the phone, honey? I'm busy in the kitchen", Abby told her husband.
"Você pode atender o telefone, querido? Estou ocupada na cozinha", Abby disse ao marido.

"The bell is ringing. Can you get the door, please?", Betty asked Sue.
"A campainha está tocando. Você pode atender a porta, por favor?", Betty pediu a Sue.

"I'll get it", said Jake to his wife as the phone rang.
"Eu atendo", disse Jake à esposa quando o telefone tocou.

K - GET = FETCH: IR BUSCAR, PEGAR ALGUÉM OU ALGUMA COISA

Do you think you can get me at the station at around 6 p.m.?
Você acha que consegue me pegar na estação por volta das 18 horas?

Can you get that book on the top shelf for me, please? I can't reach it.
Você pode pegar para mim aquele livro na prateleira de cima, por favor? Não consigo alcançá-lo.

"I can't get the kids from school today, I'm swamped with work", Gary told his wife.
"Não posso pegar as crianças na escola hoje, estou cheio de trabalho", Gary disse à esposa.

I'll get a cup of coffee. Would you like one?
Vou buscar uma xícara de café. Você quer uma?

20. Verbos principais: to work/worked/worked - to go/went/gone

Esta seção apresenta uma lista de verbos principais (regulares e irregulares) mais utilizados na conversação cotidiana. Os verbos regulares são aqueles cujo passado e particípio passado terminam em ed. Por exemplo: to work/worked/worked (trabalhar). Já os verbos irregulares são aqueles que possuem uma formação especial para o passado e particípio passado. Por exemplo: to go/went/gone (ir).

INFINITIVO	PASSADO	PARTICÍPIO	SIGNIFICADO
to answer	answered	answered	responder; atender (telefone, campainha)
to apply	applied	applied	candidatar-se a um emprego, vaga, bolsa de estudos etc. (apply for a job, position, scholarship etc.)
to arrive	arrived	arrived	chegar
to ask	asked	asked	pedir; perguntar
to be	was/were	been	ser; estar
» Veja as conjugações desse verbo nas p. 191			
to become	became	become	tornar-se
to begin	began	begun	começar
to believe	believed	believed	acreditar
to bite	bit	bitten	morder
to bleed	bled	bled	sangrar
to blow	blew	blown	soprar; assoprar
to borrow	borrowed	borrowed	pedir emprestado; pegar emprestado
to break	broke	broken	quebrar
to bring	brought	brought	trazer
to brush	brushed	brushed	escovar (dentes, cabelo)
to build	built	built	construir
to burn	burned	burned	queimar
to buy	bought	bought	comprar
to call	called	called	chamar; ligar; telefonar
to catch	caught	caught	apanhar; pegar (ônibus, metrô, avião)
to choose	chose	chosen	escolher
to clean	cleaned	cleaned	limpar
to close	closed	closed	fechar
to come	came	come	vir
to cook	cooked	cooked	cozinhar
to cost	cost	cost	custar
to count	counted	counted	contar (números, dinheiro etc.)
to cut	cut	cut	cortar
to dance	danced	danced	dançar
to decide	decided	decided	decidir
to die	died	died	morrer
to do	did	done	fazer
to dream	dreamed	dreamed	sonhar
to drink	drank	drunk	beber
to drive	drove	driven	dirigir
to earn	earned	earned	ganhar (salário)

to eat	ate	eaten	comer
to explain	explained	explained	explicar
to fall	fell	fallen	cair
to feed	fed	fed	alimentar
to feel	felt	felt	sentir
to fight	fought	fought	brigar; lutar
to find	found	found	achar; encontrar
to fix	fixed	fixed	consertar; preparar uma refeição (fix a meal)
to fly	flew	flown	voar; viajar de avião; pilotar (avião, helicóptero)
to forget	forgot	forgotten	esquecer
to forgive	forgave	forgiven	perdoar
to freeze	froze	frozen	congelar
to get	got	gotten	conseguir; obter; adquirir; comprar; receber; ganhar; chegar; pegar; ir buscar; tornar-se

» Veja o item Usos do verbo get p. 218

to give	gave	given	dar
to go	went	gone	ir
to grow	grew	grown	crescer
to hang	hung	hung	pendurar
to have	had	had	ter
to hear	heard	heard	ouvir
to help	helped	helped	ajudar
to hide	hid	hidden	esconder
to hit	hit	hit	bater em (agredir; chocar-se com); atingir
to hold	held	held	segurar; abraçar
to hurt	hurt	hurt	machucar; ferir
to keep	kept	kept	manter; ficar com; guardar
to know	knew	known	saber; conhecer
to lay	laid	laid	pôr; colocar; botar (ovos)
to lead	led	led	levar (conduzir); liderar
to learn	learned	learned	aprender; tomar conhecimento
to leave	left	left	sair; partir; deixar
to lend	lent	lent	emprestar
to let	let	let	deixar (permitir)
to lie	lied	lied	mentir
to lie	lay	lain	deitar-se
to like	liked	liked	gostar de
to listen	listened	listened	escutar

to live	lived	lived	viver; morar
to lose	lost	lost	perder
to love	loved	loved	amar; adorar
to make	made	made	fazer; construir; fabricar; produzir
to mean	meant	meant	significar; querer dizer; ter a intenção de
to meet	met	met	encontrar pessoas; conhecer pessoas pela primeira vez
to miss	missed	missed	perder (uma aula, uma reunião, o ônibus, uma oportunidade); sentir saudade ou falta de; errar, não acertar (um alvo etc.)
to open	opened	opened	abrir
to park	parked	parked	estacionar
to pay	paid	paid	pagar
to plan	planned	planned	planejar
to play	played	played	jogar (esportes); tocar (instrumentos musicais); brincar
to prefer	preferred	preferred	preferir
to prevent	prevented	prevented	impedir; evitar
to pull	pulled	pulled	puxar
to push	pushed	pushed	empurrar; apertar (botão, tecla)
to put	put	put	pôr; colocar
to quit	quit	quit	parar; largar
to read	read	read	ler
to receive	received	received	receber
to remember	remembered	remembered	lembrar-se de
to remind	reminded	reminded	fazer alguém lembrar de algo
to rent	rented	rented	alugar
to rest	rested	rested	descansar
to ride	rode	ridden	andar (de bicicleta, de moto, a cavalo etc.); andar (como passageiro de carro, ônibus etc.)
to ring	rang	rung	tocar (campainha, sino)
to run	ran	run	correr
to save	saved	saved	salvar; economizar
to say	said	said	dizer
to see	saw	seen	ver
to sell	sold	sold	vender
to send	sent	sent	enviar
to shake	shook	shaken	tremer; sacudir; abalar; apertar a mão (shake hands)

to shave	shaved	shaved	fazer a barba; raspar (as pernas, a cabeça etc.)
to shine	shone	shone	brilhar
to shoot	shot	shot	atirar (com arma de fogo); disparar
to show	showed	showed	mostrar; apresentar; exibir; demonstar
to shrink	shrank	shrunk	encolher
to shut	shut	shut	fechar
to sing	sang	sung	cantar
to sink	sank	sunk	afundar
to sit	sat	sat	sentar
to sleep	slept	slept	dormir
to smell	smelled	smelled	cheirar; sentir cheiro
to sneeze	sneezed	sneezed	espirrar
to speak	spoke	spoken	falar
to spell	spelled	spelled	soletrar
to spend	spent	spent	gastar (dinheiro); passar (tempo, férias)
to spill	spilled	spilled	derramar
to spit	spat/spit	spat/spit	cuspir
to spoil	spoiled	spoiled	estragar(-se); mimar (uma criança)
to stand	stood	stood	estar/ficar em pé; agüentar; tolerar; suportar
to stay	stayed	stayed	ficar; permanecer
to steal	stole	stolen	roubar
to swear	swore	sworn	jurar; xingar
to swim	swam	swum	nadar
to take	took	taken	pegar (algum objeto); tomar (ônibus, táxi etc.); levar (alguém a algum lugar); tomar (remédio)
to talk	talked	talked	conversar
to teach	taught	taught	ensinar
to tell	told	told	contar; dizer
to think	thought	thought	pensar; achar
to throw	threw	thrown	atirar; arremessar; jogar
to travel	traveled	traveled	viajar
to try	tried	tried	tentar
to type	typed	typed	digitar
to understand	understood	understood	entender
to use	used	used	usar
to wait	waited	waited	esperar
to wake	woke	woken	despertar; acordar

to walk	walked	walked	andar
to want	wanted	wanted	querer
to wash	washed	washed	lavar
to watch	watched	watched	observar; assistir (TV, um jogo etc.)
to wear	wore	worn	usar (no corpo, ex. roupas, calçados, batom, brinco etc.)
to win	won	won	ganhar; vencer
to worry	worried	worried	preocupar-se
to write	wrote	written	escrever

IV. GUIA DAS DICAS CULTURAIS
CULTURAL TIPS GUIDE

1: Atividades ao ar livre – Outdoors p. 21
2: Fahrenheit e Celsius – Fahrenheit and Celsius p. 22
3: Nova York – New York p. 31
4: Fazendo o check-out do hotel – Checking out of the hotel p. 34
5: Phone card – Phone card p. 35
6: Café-da-manhã – Breakfast p. 36
7: Alugando um carro – Renting a car p. 42
8: Milhas – Miles p. 43
9: No posto de gasolina – At the gas station p. 45
10: Shopping – Shopping center p. 48
11: Na lanchonete – At the snack bar p. 60
12: Continental breakfast x English breakfast – Continental breakfast x English breakfast p. 60
13: Brunch – Brunch p. 61
14: Almoço – Lunch p. 61
15: Refrigerantes – Soft drinks p. 62
16: Café – Coffee p. 63
17: Gorjeta – Tips p. 63
18: Corrida – Jogging p. 76
19: Subúrbio – Suburbs p. 84
20: Dia de Ação de Graças – Thanksgiving p. 86
21: Dinheiro ou cartão? – Cash or charge? p. 102
22: Cédulas e moedas – Bills and coins p. 102
23: Dia dos namorados – Valentine's Day p. 105
24: Altura – Height p. 106
25: Peso – Weight p. 106

V. GUIA DO VOCABULÁRIO ATIVO
ACTIVE VOCABULARY GUIDE

Pegando um táxi - Getting a cab p. 32
Viagem aérea - Air Travel p. 37
Roupas e calçados - Clothes and shoes p. 49
Hora de festejar! - Party time! p. 64
Férias - On vacation p. 66
De dieta - On a diet p. 73
Mantendo-se em forma - Keeping in shape p. 77
Lar doce lar - Home sweet home p. 80
Afazeres domésticos - Household chores p. 82
Trabalho e carreira - Work and career p. 92
Uma reunião de negócios - A business meeting p. 95
Ligações telefônicas - Phone calls p. 100
O dinheiro movimenta o mundo - Money makes the world go round p. 102
Namorando - Dating p. 109
Romance e sexo - Romance and sex p. 116
Usando computadores - Using computers p. 127

VI. DIÁLOGOS TRADUZIDOS
TRANSLATED DIALOGUES

QUEBRANDO O GELO
Alan: Está quente mesmo hoje!
Linda: É verdade! Não estou acostumado com este tempo.
Alan: Então você não é daqui, é?
Linda: Não, eu sou de Boston. Lá é muito mais frio do que na Flórida, eu lhe garanto.
Alan: Desculpe, eu não me apresentei. Meu nome é Alan Gates.
Linda: Prazer em conhecer, Alan! Meu nome é Linda Parker. Então você nasceu aqui na Flórida, não é?
Alan: Não, na verdade eu nasci na Carolina do Sul, mas cresci aqui. Minha família se mudou para a Flórida quando eu tinha apenas três anos.
Linda: Acho que você tem sorte. A Flórida é um lugar bom para se viver. E o que você faz?
Alan: Eu trabalho com seguros.
» Veja a versão em inglês desse diálogo na p. 13

ACHO QUE VOCÊ NÃO CONHECE MINHA AMIGA
Barry: Ei Paul, há quanto tempo a gente não se vê!
Paul: Barry! Que bom ver você, cara; e aí, o que está rolando?
Barry: Nada especial. Acho que você não conhece minha amiga Liz, conhece?
Paul: Não. Prazer em conhecer, Liz!
Liz: O prazer é meu!
Paul: E você, estuda aqui na Stanford?
Liz: Eu? Não. Só estou visitando. Na verdade eu sou de Chicago.
Paul: Sério? Eu tenho uma tia que mora em Chicago. Eu já estive lá uma vez.
Liz: Já? Espero que tenha gostado.
Paul: Gostei. É uma cidade muito legal.
Barry: Escuta, Paul, não quero interromper mas precisamos ir. Preciso voltar ao alojamento para pegar alguns livros para a minha próxima aula.
Paul: Claro, Barry! Eu também estou meio ocupado. Falo com vocês depois.
Liz: Foi ótimo conhecer você, Paul.
Paul: O prazer foi meu. Vejo vocês por aí. Cuidem-se.
» Veja a versão em inglês desse diálogo na p. 14

FALANDO SOBRE O TEMPO
Rachel: Você ouviu a previsão do tempo para o fim de semana?
Pat: Ouvi. O homem do tempo disse que o sábado vai ser ensolarado, mas que talvez chova um pouco no domingo.
Rachel: Eu odeio tempo chuvoso. Eu sempre me sinto um pouco deprimida quando chove.

Pat: Eu sei o que você quer dizer. Então você prefere o verão, não é?
Rachel: Ah, sim. É a estação perfeita para mim. Você sabe, eu adoro atividades ao ar livre.
Pat: E o que você está planejando fazer este fim de semana?
Rachel: Bom, talvez eu vá à praia.
» Veja a versão em inglês desse diálogo na p. 20

FAZENDO RESERVA EM UM HOTEL

(Telefone tocando)
Recepção: Hotel Green Tree Towers. Em que posso ajudá-lo?
Brian: Eu gostaria de saber se vocês têm um quarto disponível para a semana do dia quinze.
Recepção: Só um momento, sr. Deixe-me checar as reservas. Sim, temos.
Brian: Que bom. Quanto é a diária para um casal?
Recepção: Seria 95 dólares, com o café-da-manhã incluso, sr.
Brian: Ok. Eu queria reservar um quarto para três dias então, do dia quinze ao dezessete.
Recepção: Sim, sr. O sr. está vindo a Chicago para o congresso ortopédico?
Brian: Não. Nossa filha mora aí. Vamos visitá-la.
Recepção: Muito bom, sr. Deixe-me preencher o formulário de reserva. Qual é o seu sobrenome, sr.?
Brian: Taylor. Brian Taylor.
Recepção: E...
» Veja a versão em inglês desse diálogo na p. 25

FAZENDO O CHECK-IN NO AEROPORTO

Atendente de check-in: Posso ajudar a sra.?
Passageira: Sim, obrigada (entregando a passagem e o passaporte para o atendente de check-in).
Atendente de check-in: A sra. gostaria do assento ao lado da janela ou do corredor?
Passageira: Do corredor, por favor. Eu normalmente preciso me levantar e esticar as pernas durante o vôo. E este é um vôo longo, não é?
Atendente de check-in: Com certeza. Ao lado do corredor, então.
Passageira: E vocês têm assentos para não fumantes, por favor?
Atendente de check-in: Não se preocupe. Agora não é mais permitido fumar em nossos vôos.
Passageira: Fico contente em saber disso!
Atendente de check-in: Ok. A sra. pode colocar a sua mala aqui, por favor?
Passageira: Claro. É só uma mala. Posso levar esta como bagagem de mão?
Atendente de check-in: Sim, sra. A sra. pode colocá-la no compartimento superior do avião. Aqui está o seu cartão de embarque. A sra. vai embarcar no portão 12.
Passageira: Muito bom. Obrigada.
» Veja a versão em inglês desse diálogo na p. 26

NO AVIÃO

"Bom dia a todos, aqui é o comandante falando, vamos aterrissar no Aeroporto Internacional de Los Angeles em alguns minutos... A hora local é 7h14. O tempo está bom, está ensolarado, a temperatura é de 70 graus fahrenheit, aproximadamente 20 graus célsius. Espero que todos tenham tido um bom vôo e, em nome da Global Airlines, gostaria de agradecer a todos novamente por voar conosco".

Nancy: Estou realmente contente por aterrissar logo.
Victor: Você tem medo de avião?
Nancy: Bom, digamos que viajar de avião não é uma das minhas coisas favoritas.
Victor: De onde você é?
Nancy: Seattle. E você?
Victor: Brasil.
Nancy: Sério? Eu sempre quis ir ao Brasil para passar o Carnaval. E as praias são maravilhosas, não são?
Victor: São mesmo! É um ótimo lugar para passar férias. E você está vindo a Los Angeles a negócios?
Nancy: Não! Meu irmão mora aqui. Na verdade eu vim visitá-lo. Não o vejo há muito tempo...
» Veja a versão em inglês desse diálogo na p. 28

PEGANDO UM TÁXI DO AEROPORTO PARA O HOTEL

Bill: Táxi!
Taxista: Oi! Deixe-me colocar sua bagagem no porta-malas.
Taxista: Para onde, sr.?
Bill: Hotel Waldorf Astoria, por favor.
Taxista: Ok, sr.
Bill: Qual a distância daqui?
Taxista: Uns quarenta minutos se o trânsito estiver bom. O sr. está em Nova York a negócios?
Bill: Ah, sim. Eu vim para uma convenção, mas pretendo me divertir um pouco também.
Taxista: Claro, sr. Há muito para se fazer aqui.
Bill: Quanto pela corrida?
Taxista: 45 dólares.
Bill: Ok. Aqui está. Fique com o troco.
Taxista: Obrigado, sr. Vou pegar sua bagagem. Aqui está. Tenha uma boa estadia em Nova York.
Bill: Obrigado. Tchau.
» Veja a versão em inglês desse diálogo na p. 31

FAZENDO O CHECK-IN NO HOTEL

Recepcionista: Posso ajudar, sr.?
Sr. Garcia: Sim. Eu tenho uma reserva em nome de Garcia, Antonio Garcia.
Recepcionista: Só um minuto, sr. Aqui está, sr. Garcia. O sr. vai ficar seis dias, certo?
Sr. Garcia: Isso mesmo.

Recepcionista: O sr. pode preencher este formulário, por favor?
Sr. Garcia: Claro.
Recepcionista: O sr. vai ficar no quarto 201. Vou pedir para o carregador levar sua bagagem até o quarto.
Sr. Garcia: Obrigado. A propósito, vocês têm serviço de despertar?
Recepcionista: Sim, sr. Que horas o sr. gostaria de ser acordado?
Sr. Garcia: Às sete e meia seria ótimo. Só mais uma pergunta, que horas é o check-out?
Recepcionista: Meio-dia, sr.
Sr. Garcia: Ok, muito obrigado.
Recepcionista: Não há de quê, sr.!
» Veja a versão em inglês desse diálogo na p. 33

VIAJANDO PARA O EXTERIOR
Bob: Você tem viajado bastante, não é? Quantos países você já visitou?
Mick: Acho que uns dezessete. Mas ainda não estive na Escandinávia.
Bob: O que você normalmente gosta de fazer quando chega a um novo país?
Mick: Conhecer todos os pontos turísticos... e também experimentar a comida local.
Bob: Parece interessante!
» Veja a versão em inglês desse diálogo na p. 37

HÁ UMA AGÊNCIA DO CORREIO AQUI PERTO?
Turista: Com licença. Tem uma agência do correio aqui perto?
Transeunte 1: Sinto muito, não posso lhe ajudar. Eu também sou de fora. Por que você não pergunta àquele jovem ali?
Turista: Obrigado.
Turista: Com licença. Você sabe se tem uma agência do correio aqui perto?
Transeunte 2: Ah, sim. Tem uma no próximo quarteirão. É só ir reto, fica à sua direita, não tem como errar.
Turista: Obrigado! Também preciso ir a um banco. Tem algum aqui perto?
Transeunte 2: O mais próximo fica na Terceira Avenida. Você pode virar à direita na próxima esquina, andar um quarteirão e virar à direita de novo.
Turista: Muito obrigado. Agradeço muito sua ajuda.
Transeunte 2: Não há de quê!
» Veja a versão em inglês desse diálogo na p. 39

ALUGANDO UM CARRO
Atendente da locadora: Bom dia, sr. Em que posso ajudá-lo?
Turista: Gostaríamos de alugar um carro por uma semana.
Atendente da locadora: Claro. De que país o sr. é?
Turista: Brasil.
Atendente da locadora: Ok. Posso ver a sua carteira de motorista?
Turista: Claro. Aqui está.

Atendente da locadora: Certo. Que tipo de carro o sr. tem em mente?
Turista: Um econômico. Somos apenas eu e a minha esposa, não precisamos de um porta-malas grande. A propósito, o seguro vem incluso?
Atendente da locadora: Bom, o carro vem com o seguro CDW incluso.
Turista: O que significa CDW?
Atendente da locadora: Significa Collision, Damage, Waiver. Essa cobertura exime o locatário de responsabilidade financeira se o carro alugado for danificado ou roubado, mas você pode fazer um seguro adicional para ter uma cobertura mais abrangente.
Turista: Entendo. Então acho melhor sermos precavidos.
» Veja a versão em inglês desse diálogo na p. 41

PROBLEMAS COM O CARRO

Bill: Qual é o problema?
Jack: Não faço a mínima idéia. Simplesmente não pega.
Bill: Quer que eu dê uma olhada?
Jack: Claro.
Bill: Parece haver algo errado com a injeção eletrônica. Você teve problemas com ela recentemente?
Jack: Na verdade não. Estava tudo funcionando bem até agora.
Bill: Bom, é melhor você chamar um mecânico.
» Veja a versão em inglês desse diálogo na p. 43

TRÂNSITO RUIM

Nick: Odeio dirigir neste trânsito congestionado.
Jeff: Eu sei. É sempre assim na hora do rush.
Nick: E se a gente pegar as ruas de trás? Acho que o tráfego está melhor por lá.
Jeff: Ok. Vamos tentar. Você conhece algum atalho daqui?
Nick: Acho que conheço um. Vou virar à direita na próxima esquina.
» Veja a versão em inglês desse diálogo na p. 45

COMPRANDO ROUPAS

Balconista: Posso ajudar?
Tim: Sim. Estou procurando camisetas.
Balconista: Por aqui, por favor. Que tal estas?
Tim: Bem, acho que não. Vocês têm camisas pólo?
Balconista: Temos. Deixa eu lhe mostrar algumas. Em que cor você estava pensando?
Tim: Verde ou talvez azul. Não tenho certeza.
Balconista: Que tal esta azul-clara?
Tim: É bonita. Posso experimentar?
Balconista: Claro. Que tamanho você usa?
Tim: Eu normalmente uso médio.
Balconista: Ok. Aqui está. Tem um provador ali.

Tim: Obrigado.
(Alguns segundos depois...)
Balconista: Serviu?
Tim: Acho que está um pouco apertada. Você tem um tamanho maior?
Balconista: Deixa eu ver. Ok, aqui está.
Tim: Obrigado.
(O cliente vai novamente ao provador. Alguns segundos depois...)
Tim: Esta aqui ficou boa. Quanto é?
Balconista: 27 dólares. Na verdade ela está em liquidação agora. Custava 36 dólares semana passada.
Tim: Ótimo! Vou levar.
Balconista: Bom! Precisa de mais alguma coisa?
Tim: Acho que não. Vocês aceitam cartões de crédito?
Balconista: Claro!
» Veja a versão em inglês desse diálogo na p. 46

UMA GRANDE LIQUIDAÇÃO

Kate: Tem uma grande liquidação na Filene's essa semana. Tudo está com pelo menos 20% de desconto.
Diane: Sério? Então não podemos perder!
Kate: Eu estava planejando ir lá na quinta à tarde. O que você acha?
Diane: Ótimo! Eu não vou fazer nada na quinta à tarde. O que você acha de eu lhe pegar por volta das quatro horas?
Kate: Ótimo. Só não vamos nos entusiasmar e comprar mais do que realmente precisamos.
Diane: Bom, vamos ver...
» Veja a versão em inglês desse diálogo na p. 49

SAINDO PARA SE DIVERTIR

Tom: E aí, o que você está a fim de fazer hoje à noite?
Laura: Não sei. Eu pensei que talvez nós pudéssemos ir ver uma peça.
Tom: Ótimo. Deixa eu dar uma olhada no jornal e ver o que está passando. Vamos ver... Tem uma peça nova em cartaz no Teatro Dale. O nome é **Vidas separadas**.
Laura: Parece ser um drama. Você sabe que eu odeio dramas! O que mais está passando?
Tom: Que tal **O espião que me traiu**. Tem uma crítica favorável.
Laura: Que horas é?
Tom: Vamos ver... Às 18 horas e tem uma outra seção às 21 horas.
Laura: Nós podíamos convidar a Sandy e o Jim para ir conosco.
Tom: Ótima idéia. Por que você não liga para ela e vê se eles não vão fazer nada hoje?
Laura: Ok!
» Veja a versão em inglês desse diálogo na p. 53

UM ÓTIMO FIM DE SEMANA

Tim: Como foi o seu fim de semana, Bob?
Bob: Ótimo!
Tim: Ah, é? O que vocês fizeram?
Bob: Bem, nós assistimos a um DVD hilário na sexta à noite. Morremos de rir.
Tim: Qual filme?
Bob: Mr. Beans Goes Bananas.
Tim: Parece engraçado! O que mais vocês fizeram?
Bob: Fomos ao clube e jogamos tênis no domingo de manhã, e demos um pulo na casa de um amigo à tarde.
» Veja a versão em inglês desse diálogo na p. 56

INDO AO CINEMA

Vick: Você já assistiu o novo filme do James Bond?
Pat: Não. Você assistiu?
Vick: Ainda não. Quer assistir hoje à noite? Está passando no shopping Arcade.
Pat: Claro. Adoro filmes de ação. Vamos comprar os ingressos pela Internet.
Vick: Ótima idéia! Vamos fazer isso.
» Veja a versão em inglês desse diálogo na p. 57

O QUE TEM PARA O JANTAR?

Ray: O que tem para o jantar, querida?
Liz: Pizza, eu acho...
Ray: Ah não. De novo! Estou cheio de pizza e sanduíches. Será que podemos comer uma refeição de verdade para variar?
Liz: Ok. Por que nós não saimos para jantar então? Podíamos experimentar aquele restaurante novo na rua principal.
Ray: Tudo bem. Ótimo. Vamos.
» Veja a versão em inglês desse diálogo na p. 58

NO RESTAURANTE

Garçom: Boa noite. Vocês estão prontos para fazer o pedido?
Sam: Acho que sim. O que você quer comer, querida?
Ann: Quero apenas uma salada de alface. Eu não estou com fome.
Sam: Ok, uma salada de alface para ela e uma sopa de legumes para mim, para começar... O bife grelhado vem com o quê?
Garçom: Vem com arroz e legumes, sr.
Sam: Ok. Vou querer um desses também.
Garçom: Certo. Uma salada de alface, uma sopa de legumes e o bife grelhado.
Garçom: O que vocês gostariam de beber?
Ann: Um suco de laranja para mim, por favor. Sem gelo.
Sam: Vou tomar uma cerveja.

Garçom: Ok. Um suco de laranja e uma cerveja.
Sam: Ah, você pode nos trazer pão, por favor?
Garçom: Claro. Volto já com suas bebidas.
Sam: Obrigado.
» Veja a versão em inglês desse diálogo na p. 59

UMA FESTA DE ANIVERSÁRIO
Mary: Fico contente que tenha conseguido vir.
Phil: Não perderia essa festa por nada neste mundo.
Mary: Vamos entrando. Deixe-me pegar seu casaco.
Phil: Onde está o Arnold?
Mary: Ele está na cozinha, fatiando o pão.
Phil: Desde quando ele ajuda você na cozinha?
Mary: Bom, na verdade ele não ajuda!
Phil: E então, onde está o nosso aniversariante?
Mary: Lá atrás, com os amigos.
Phil: Isto é para o Billy. Espero que ele não tenha ganhado nenhum deste ainda.
Mary: Oh, ele vai adorar! Por que você mesmo não entrega para ele?
Phil: Claro, deixa só eu dar um oi para o pessoal aqui primeiro.
» Veja a versão em inglês desse diálogo na p. 64

UM ÓTIMO LUGAR PARA PASSAR AS FÉRIAS
Fred: Você vai sair de férias em alguns dias, não é?
Stan: É verdade. Mal posso esperar até a próxima semana. Preciso mesmo tirar alguns dias de folga e relaxar.
Fred: Você está planejando viajar?
Stan: De fato estamos. Minha esposa tem uma irmã que mora em Orlando, nós vamos passar uma semana lá.
Fred: Orlando! Parece divertido. O clima é perfeito lá. É um lugar excelente para passar as férias.
Stan: Eu sei. Minha filha de doze anos está toda entusiasmada para ir aos parques da Disney. Esse é mais um motivo pelo qual estamos indo para lá.
Fred: Ótima escolha! Espero que vocês se divirtam bastante.
Stan: Tenho certeza que sim. Obrigado!
» Veja a versão em inglês desse diálogo na p. 66

UMA VISITA AO MÉDICO
Doutor: Boa tarde. Qual é o problema?
Frank: Eu tenho tido dores de cabeça constantes e às vezes sinto tontura.
Doutor: Você mudou a sua dieta de alguma forma?
Frank: Não.
Doutor: E o trabalho? Você tem trabalhado mais do que o normal nos últimos dias?
Frank: Bom, eu não tenho trabalhado mais do que o normal, mas tenho estado bastante

estressado ultimamente.
Doutor: Deixe-me examiná-lo. Você pode tirar a camisa e deitar-se na cama, por favor? (Alguns minutos depois...)
Doutor: Parece estar tudo bem. Preciso que você faça um exame de sangue. Por ora, tome uma aspirina quando você tiver dor de cabeça. Não deve ser nada sério.
» Veja a versão em inglês desse diálogo na p. 69

SENTINDO-SE DOENTE

Brad: Ei Phil! Qual o problema? Você não parece estar se sentindo muito bem.
Phil: Bom, este não é um dos meus melhores dias, se você quer saber a verdade.
Brad: O que há de errado?
Phil: Eu estou com dor de cabeça desde ontem à noite e agora sinto vontade de vomitar.
Brad: Ih cara! Isso é péssimo. Há alguma coisa que eu possa fazer?
Phil: Acho que não. Obrigado de qualquer maneira. Tenho tomado aspirinas desde ontem à noite, mas elas não têm ajudado muito.
Brad: Você acha que é por causa de alguma coisa que você comeu?
Phil: Não sei. Não comi nada diferente ultimamente, mas pode ser... Se eu não me sentir melhor nas próximas horas, acho que vou ao médico.
Brad: Acho que você deveria mesmo fazer isso.
» Veja a versão em inglês desse diálogo na p. 70

É MELHOR VOCÊ FAZER REGIME!

Greg: Puxa! Não acredito que engordei dois quilos e meio em apenas uma semana.
Sean: Esse é o preço que você paga por comer porcaria.
Greg: Eu sei. Preciso mesmo fazer um regime.
Sean: Você também deveria se exercitar com mais freqüência. Quase não vejo você malhando ultimamente. De qualquer forma, não deixe de ir ao médico antes de começar qualquer regime.
» Veja a versão em inglês desse diálogo na p. 72

NO DENTISTA

Dentista: E então, qual é o problema?
Paciente: Um dos meus dentes tem me incomodado há algum tempo.
Dentista: Talvez você tenha uma cárie. Quando foi a última vez que você consultou um dentista?
Paciente: Acho que há uns três anos. O problema é que eu entro em pânico quando escuto o motorzinho.
Dentista: Não se preocupe, você não vai sentir nada. Apenas feche os olhos e relaxe.
Paciente: Vou tentar.
» Veja a versão em inglês desse diálogo na p. 74

MANTENDO-SE EM FORMA

Jake: Ei, você parece estar em forma!
Gary: É. Tenho me exercitado com regularidade há algum tempo.
Jake: Com que freqüência você malha na academia?
Gary: Pelo menos três vezes por semana, mas eu também corro todas as manhãs.
Jake: Ah é? Que bom. Gostaria de ter tempo para fazer isso também.
Gary: Bom, você precisa arrumar tempo. Eu também usava a mesma desculpa. Lembre-se de como é importante ter um estilo de vida saudável.
Jake: Acho que você tem razão!
» Veja a versão em inglês desse diálogo na p. 75

DICAS DE UM PERSONAL TRAINER

Tony: Eu me sinto fora de forma. Preciso realmente começar um programa de exercícios. O que você recomendaria?
Personal trainer: Bom, se você não se exercita há muito tempo, a melhor coisa a fazer é um checkup com um médico primeiro.
Tony: Certo. Eu estava pensando em fazer isso.
Personal trainer: Bom. Se estiver tudo bem com o seu exame médico, então você pode, aos poucos, começar um programa de exercícios. Você gosta de correr?
Tony: Gosto. O único problema é que eu fico bastante cansado após alguns minutos.
Personal trainer: Claro que fica. Você não está em forma. Precisa começar devagar e gradualmente aumentar o ritmo.
» Veja a versão em inglês desse diálogo na p. 76

UM NOVO LUGAR PARA MORAR

Helen: E então, ouvi dizer que vocês vão se mudar.
Sharon: Vamos! Encontramos um apartamento muito bom a apenas um quarteirão daqui. É perfeito! Tem um dormitório extra e uma sala de estar maior.
Helen: Vocês precisavam de um pouco mais de espaço, não é?
Sharon: É verdade. Já não tínhamos espaço para mais nada.
Helen: Que bom que vocês vão ficar no mesmo bairro.
Sharon: Ah é. Estamos tão acostumados com a vizinhança que não podíamos nos imaginar morando em qualquer outro lugar.
Helen: Me avise se precisar de ajuda com a mudança. Você sabe que o Joe tem uma picape.
» Veja a versão em inglês desse diálogo na p. 79

MEU AFAZER DOMÉSTICO PREFERIDO

Bill: Então você ajuda a sua esposa com o trabalho doméstico, certo?
Dave: Claro. Eu tento fazer o máximo que eu posso. Na verdade o meu afazer doméstico preferido é lavar os pratos.
Bill: Vocês têm uma empregada?

Dave: Não, não temos. Temos uma faxineira que vem duas vezes por semana para limpar a casa e lavar as roupas.
Bill: É uma boa ajuda!
Dave: É. Você sabe, minha esposa trabalha meio-período e nós temos três filhos. Ela já não tem tempo para mais nada.
Bill: Eu sei o que você quer dizer!
» Veja a versão em inglês desse diálogo na p. 82

VOCÊ SEMPRE MOROU EM UM APARTAMENTO?

Linda: Você sempre morou em apartmento?
Brian: Ah não. Eu morava em uma casa grande no subúrbio antes de me casar.
Linda: Então foi uma grande mudança para você.
Brian: Foi bem difícil no começo, sabe, eu estava acostumado com muito mais espaço, mas já me acostumei agora.
Linda: Você acha que há alguma vantagem em morar em apartamento?
Brian: Bom, há vantagens e desvantagens, como tudo na vida. Acho que uma das grandes vantagens é a segurança. Quando viajamos precisamos apenas trancar uma porta e é só. Sem mais preocupações!
» Veja a versão em inglês desse diálogo na p. 84

PROBLEMAS COM O APARTAMENTO

Stuart: Estou ficando cansado de morar nesse apartamento.
Nick: Qual o problema?
Stuart: Bom, pra começo de conversa, a pia da cozinha está sempre entupida.
Nick: Você já pediu para um encanador dar uma olhada?
Stuart: Já, duas vezes! Mas alguns dias depois que ela é consertada começa tudo de novo.
Nick: Esse apartamento é velho mesmo.
Stuart: Eu sei. E tem algo errado com o ralo do banheiro também.
Nick: Vou ser sincero com você. Se eu estivesse no seu lugar, começaria a procurar outro apartamento.
» Veja a versão em inglês desse diálogo na p. 84

VIDA FAMILIAR

Kate: E então, Brian, você tem uma família grande?
Brian: Tenho. Dois irmãos e uma irmã gêmea.
Kate: Uma irmã gêmea, que interessante!
Brian: É, mas na verdade nós não somos muito parecidos.
Kate: Você vê todos eles com freqüência?
Brian: Não. Um dos meus irmãos mora longe e eu só o encontro uma vez por ano. Eu vejo o meu outro irmão e minha irmã com mais freqüência. De qualquer maneira, a família inteira se reúne pelo menos uma vez por ano, normalmente no dia de Ação de Graças.
» Veja a versão em inglês desse diálogo na p. 85

DOIS AMIGOS FALANDO SOBRE TRABALHO

Eric: Qual é o problema? Você parece chateado.
Larry: Estou mesmo. Estou cansado de fazer as mesmas coisas chatas no trabalho dia após dia. Você sabe, preencher formulários e outras coisas.
Eric: Já pensou em procurar um outro emprego?
Larry: Claro. Ultimamente tenho dado uma olhada nos anúncios de emprego do jornal.
Eric: Que tipo de emprego você tem em mente?
Larry: Não sei. Algo mais desafiador. Só estou cansado da mesma rotina de trabalho o dia inteiro.
Eric: Eu sei o que você quer dizer.
» Veja a versão em inglês desse diálogo na p. 87

VOCÊ PRECISA DIMINUIR O RITMO!

Ralph: Você está pálido. Está se sentindo bem?
Dick: Não mesmo.
Ralph: Por que não tira uma folga o resto do dia e relaxa?
Dick: Acho que vou fazer isso. Tenho andado muito estressado ultimamente.
Ralph: Às vezes precisamos diminuir o ritmo, você sabe...
Dick: Acho que você tem razão! Obrigado.
» Veja a versão em inglês desse diálogo na p. 88

UMA ENTREVISTA DE EMPREGO

Entrevistador: Então, eu vi no seu currículo que você trabalha com publicidade há mais de dez anos.
Entrevistado: É verdade. Eu comecei a trabalhar com publicidade assim que me formei na faculdade.
Entrevistador: O que você mais gosta em publicidade?
Entrevistado: Bom, eu gosto principalmente da parte criativa. Desde que eu era criança sempre gostei de bolar logotipos e slogans.
Entrevistador: E por que você gostaria de trabalhar conosco?
Entrevistado: Eu sinto que, com minha experiência na área, poderia certamente contribuir com idéias para novos produtos e campanhas de publicidade.
Entrevistador: Você sabe que nós fabricamos guinchos. Você está familiarizado com essa linha de produtos?
Entrevistado: Na verdade eu nunca trabalhei com guinchos, mas tenho certeza de que posso aprender tudo a respeito do assunto em pouco tempo. Além disso, seria um desafio trabalhar com um novo produto.
Entrevistador: Entendo...
» Veja a versão em inglês desse diálogo na p. 89

O QUE VOCÊ ACHA DO NOVO PRODUTO?

Matt: E então, o que você acha do novo produto?

Rick: Acho ótimo. A fragrância é sem igual. Há um grande mercado para esse tipo de perfume. Tenho certeza de que vai agradar todas as mulheres.
Matt: Eu estou realmente entusiasmado. Como você acha que deveríamos promovê-lo?
Rick: Bom, para começar, acho que deveríamos colocar alguns anúncios em revistas e talvez até em outdoors.
Matt: Concordo. Mal posso esperar a nossa reunião com a equipe de marketing amanhã.
》 Veja a versão em inglês desse diálogo na p. 95

VOCÊ PODE PEDIR PARA ELE RETORNAR A LIGAÇÃO?

Telefonista: Viacom International, Helen falando, bom dia!
Paul: Bom dia. Eu poderia falar com o sr. Rogers, por favor?
Telefonista: Só um momento. Eu vou transferir o sr. para a secretária dele.
Paul: Obrigado.
Secretária: Alô.
Paul: Oi. Posso falar com o sr. Rogers, por favor?
Secretária: O sr. pode esperar? Ele está atendendo uma pessoa na outra linha.
Paul: Ok.
(Alguns segundos depois...)
Secretária: Ele ainda está ocupado. O sr. gostaria de deixar recado?
Paul: Ah, sim, por favor. Meu nome é Paul Harris. Você pode pedir para ele retornar a ligação?
Secretária: Claro. Ele tem o seu telefone, sr.?
Paul: Acho que sim, mas deixe eu passar novamente só para garantir. É 372-0984.
Secretária: 3-7-2-0-9-8-4.
Paul: Isso mesmo. Obrigado!
Secretária: Não há de quê, sr.
》 Veja a versão em inglês desse diálogo na p. 98

O DINHEIRO MOVIMENTA O MUNDO

Jason: Às vezes fico pensando sobre o futuro do dinheiro.
Liam: O que você quer dizer?
Jason: Se o dinheiro algum dia vai desaparecer, notas e moedas, e se alguma outra coisa vai substituí-las.
Liam: Bom, um número cada vez maior de pessoas tem usado apenas cartões de crédito ultimamente.
Jason: Esta é sem dúvida uma tendência, mas eu acho que alguma outra coisa vai acontecer. Com todos os novos dispositivos tecnológicos que estão sendo criados, nós provavelmente lidaremos com o dinheiro de uma forma eletrônica daqui a alguns anos.
Liam: É, isso deve mesmo acontecer, mas de qualquer modo o dinheiro sempre terá um papel importante em nossas vidas; você sabe, o dinheiro movimenta o mundo.
》 Veja a versão em inglês desse diálogo na p. 101

SEM TEMPO PARA PASSAR EM UM CAIXA ELETRÔNICO

Ted: Ei Mark. Você pode me emprestar vinte dólares?
Mark: Claro. Para que você precisa?
Ted: Conto mais tarde. Estou com pressa agora e não tenho tempo para passar em um caixa eletrônico para pegar dinheiro. Devolvo para você amanhã.
Mark: Sem problemas!
» Veja a versão em inglês desse diálogo na p. 102

UM NOVO NAMORADO

Peggy: Você está diferente. Na verdade, você parece mais alegre, o que está acontecendo?
Carol: É tão óbvio assim?
Peggy: O quê? Não sei do que você está falando.
Carol: Bom, conheci um cara novo.
Peggy: Ah, ótimo! É por isso então! Um novo namorado! Me conta, como ele é?
Carol: Ele tem altura mediana, não é gordo nem magro, tem cabelo castanho claro e olhos verdes. Olha, eu tenho uma foto dele no meu celular.
Peggy: Uau, ele é bonitinho! Acho que você tem sorte mesmo!
Carol: Eu sei.
Peggy: Quantos anos ele tem?
Carol: Dezenove. Ele vai fazer vinte no próximo mês.
Peggy: Bom para você!
» Veja a versão em inglês desse diálogo na p. 105

AS SEPARAÇÕES SÃO SEMPRE DIFÍCEIS!

Sandy: Você parece arrasada! Qual é o problema?
Sue: Terminei com o Jeff. É por isso.
Sandy: O que aconteceu? Por que vocês se separaram?
Sue: Bom, para começar, ele mentiu para mim várias vezes. Eu também descobri que ele tem saído com a Jane, você sabe, a bonitinha da escola. Foi a gota d'água!
Sandy: Puxa. Não sei o que lhe dizer. Já passei por isso. Você tem certeza de que não podem dar um jeito?
Sue: Absoluta.
» Veja a versão em inglês desse diálogo na p. 108

CONVIDANDO UMA COLEGA DE TRABALHO PARA JANTAR

Tom: Você vai fazer alguma coisa hoje à noite?
Julia: Não, na verdade não. Por quê?
Tom: Bom, eu pensei que talvez nós pudéssemos jantar em algum lugar.
Julia: Jantar!? Humm, qual é a ocasião?
Tom: Nenhuma. É que a gente já se conhece há tanto tempo. Não sei... Gostaria de conhecer você melhor.
Julia: Bom, eu adoraria. Só gostaria de ir para casa depois do trabalho e me trocar.

Tom: Sem problemas. Posso pegar você mais tarde na sua casa se quiser.
Julia: Seria ótimo!
» Veja a versão em inglês desse diálogo na p. 111

FICA PARA A PRÓXIMA

Neil: Ok. Por hoje chega.
Terry: Bom. O que você acha de irmos tomar um drinque no bar da esquina?
Neil: Fica para a próxima. Estou me sentindo muito cansado. Só quero ir para casa e relaxar.
Terry: Ah, vamos, não são nem 18 horas. A gente fica no bar só uma meia hora. Vai fazer bem a você.
Neil: Bom, para ser sincero, eu também estou com um pouco de dor de cabeça. Nós vamos amanhã, eu prometo!
Terry: Ok, você venceu!
» Veja a versão em inglês desse diálogo na p. 112

VOCÊ DEVERIA SAIR COM MAIS FREQÜÊNCIA

Dan: Mike, e aí? Você não parece muito bem.
Mike: Não estou.
Dan: Qual é o problema?
Mike: Acho que não me divirto há muito tempo. É só trabalho, trabalho, trabalho...
Dan: Qual é, você deveria sair com mais freqüência e conhecer pessoas novas.
Mike: Eu sei que deveria. É que eu tenho trabalhado tanto ultimamente que quase não tenho tempo para mais nada.
Dan: Escuta, que tal irmos a uma boate hoje à noite?
Mike: Uma boate? Não sei, estou me sentindo cansado e...
Dan: Sem desculpas. Eu passo para pegar você às 21 horas. Esteja pronto! Talvez possamos comer uma pizza no caminho.
» Veja a versão em inglês desse diálogo na p. 112

ACHO QUE LHE DEVO DESCULPAS

Tim: Posso falar com você um minuto?
Sally: Ok, desembucha!
Tim: Acho que lhe devo desculpas pelo que eu disse ontem.
Sally: Bom, se você quer saber a verdade, fiquei mesmo chateada com o que você disse ontem à noite.
Tim: Eu sei, não deveria ter sido tão desagradável. Sinto muito mesmo pelo que eu falei, não quis dizer aquilo. Você acha que poderia me perdoar?
Sally: Todos nós erramos, não se preocupe.
Tim: Sem ressentimentos então, certo?
Sally: Está tudo bem. Esquece.
» Veja a versão em inglês desse diálogo na p. 114

É POR ISSO QUE EU ADORO ESTE LUGAR!

Gary: Olha só aquela menina linda ali.
Chuck: Nossa. Ela é mesmo muito gata, né?
Gary: Essa boate está cheia de garotas bonitas.
Chuck: Eu sei! É por isso que eu adoro este lugar!
Gary: Bom, eu só espero que tenhamos sorte hoje à noite! Espero realmente me dar bem.
Chuck: Eu também, cara! Eu também.
» Veja a versão em inglês desse diálogo na p. 115

UMA ROTINA DIÁRIA

Jay: Você tem uma rotina diária, Mike?
Mike: Tenho. Eu sempre levanto às 7 horas, tomo um banho, tomo o café-da-manhã e saio para trabalhar às 8 horas.
Jay: E a que horas você normalmente chega ao trabalho?
Mike: Por volta das 8h30 se o trânsito estiver bom.
Jay: Você lê o jornal todos os dias?
Mike: Não. Só leio o jornal nos fins de semana para me colocar a par das notícias, mas assisto ao noticiário noturno com freqüência.
Jay: Então você não vai dormir cedo, né?
Mike: Por volta da meia-noite.
Jay: Você não se sente cansado de manhã?
Mike: Que nada. Sete horas de sono bastam para mim.
» Veja a versão em inglês desse diálogo na p. 119

A VIDA NO BRASIL E NOS ESTADOS UNIDOS

William: Você já pensou em como a vida no Brasil é diferente da vida nos Estados Unidos?
Marco: Sim, às vezes eu penso. Especialmente quando vejo filmes norte-americanos.
William: Os carros, por exemplo. A maioria dos carros nos Estados Unidos é automática/hidramática. São tão mais fáceis de dirigir!
Marco: Eu sei. Eu aluguei um quando fui à Flórida há três anos. Uma outra coisa que achei interessante é o fato de os norte-americanos comerem bem mais no café-da-manhã do que a gente.
William: Ah é. O café-da-manhã é a refeição principal deles. Por outro lado, a maioria das pessoas no Brasil almoça bem, enquanto nos Estados Unidos, normalmente, eles só comem um lanche, como hambúrgueres ou até mesmo um pedaço de pizza.
Marco: Bom, uma das coisas que eu adoro no Brasil é o clima tropical.
William: Eu também. Eu adoro dias ensolarados.
» Veja a versão em inglês desse diálogo na p. 119

ESTÁ QUENTE AQUI DENTRO!

Dave: Puxa, está quente aqui dentro! Posso ligar o ar-condicionado?
Bill: Seria bom se pudéssemos, mas está quebrado.

Dave: Ah não, não acredito!
Bill: Disseram que vão consertar logo.
Dave: Gostaria de poder nadar hoje!
Bill: Eu também. Talvez eu faça isso mais tarde.
» Veja a versão em inglês desse diálogo na p. 121

SENTINDO-SE CANSADO

Frank: Estou morto. Podemos ir para casa?
Ruth: Tem mais uma coisa que eu preciso comprar.
Frank: O que é?
Ruth: Sapatos, lembra-se? Eu quero dar uma olhada na nova loja de calçados.
Frank: Se importa se eu esperar você na cafeteria?
Ruth: Ah, puxa, querido. Você sabe que eu preciso da sua opinião. Eu me sinto tão melhor quando você me diz que alguma coisa fica bonita em mim.
Frank: Tudo bem! Você venceu. Vamos lá, mas não vamos demorar, Ok?
Ruth: Não se preocupe!
» Veja a versão em inglês desse diálogo na p. 122

UM DIA DURO

Matt: Você parece meio chateado.
Jerry: Tive um dia duro.
Matt: O que aconteceu?
Jerry: Bom, para começar um pneu do meu carro furou cedinho de manhã, quando eu estava indo para o trabalho. Mas não foi só isso!
Matt: O que mais aconteceu?
Jerry: Quando eu finalmente cheguei ao escritório, percebi que tinha deixado em casa a minha pasta com alguns relatórios importantes.
Matt: Então você teve que voltar para casa para pegá-la?
Jerry: Isso mesmo. E adivinha o que aconteceu quando eu estava voltando para o escritório?
Matt: Não faço a mínima idéia.
Jerry: Por causa de uma batidinha o trânsito não andava e eu levei mais de uma hora para voltar até aqui. Como conseqüência perdi a reunião com os vendedores.
Matt: Uau, parece que você realmente teve um dia duro!
» Veja a versão em inglês desse diálogo na p. 123

VOCÊ PODE ME DAR UMA MÃO?

Ray: Ei, Mark, você pode me dar uma mão?
Mark: Claro. O que você precisa que eu faça?
Ray: Você pode me ajudar a mudar aquelas caixas de lugar?
Mark: Ok. Onde você quer colocá-las?
Ray: Bem ali, perto da janela.
Mark: Certo. Vamos lá! Puxa! Elas estão pesadas. O que tem dentro delas?

Ray: A maior parte é papelada.
» Veja a versão em inglês desse diálogo na p. 124

OBRIGADO PELA CARONA!

Bob: Ei Stan! Para onde você está indo?
Stan: Bob! Mundo pequeno. Estou indo para a cidade.
Bob: É o seu dia de sorte! Estou indo para lá também. Entre!
Stan: Ótimo! Obrigado pela carona Bob, agradeço sua ajuda.
Bob: Você é sempre bem-vindo, Stan!
» Veja a versão em inglês desse diálogo na p. 124

COMO ERA A VIDA ANTES DOS COMPUTADORES

Fred: Você consegue imaginar como era a vida antes dos computadores?
Greg: Bem difícil, eu imagino. Meu avô tem uma velha máquina de escrever. Eu não consigo acreditar que as pessoas as usavam. Não dá para compará-las com os processadores de texto atuais. Os computadores tornaram a vida de todos muito mais fácil.
Fred: É. Imagine como seria a vida sem e-mail.
Greg: Eu envio e recebo e-mails todos os dias. Não consigo imaginar minha vida sem eles. Acho que somos uma geração de sorte, afinal. A vida é tão mais fácil agora!
Fred: Bom, não tenho tanta certeza assim. Há sempre alguma desvantagem em tudo, você sabe. Por causa de tantos dispositivos tecnológicos, hoje em dia as pessoas trabalham muito mais do que antes.
Greg: É verdade. Se você tiver um laptop os e-mails lhe seguirão aonde quer que você vá e as ligações telefônicas também, se você tiver um celular!
» Veja a versão em inglês desse diálogo na p. 127

E SE VOCÊ NÃO FOSSE UM WEBDESIGNER?

Tina: E então, o que você gostaria de ser se não fosse um webdesigner?
Barry: Puxa! Não sei. Não consigo me imaginar fazendo outra coisa. Talvez eu pudesse ter sido um veterinário, eu adoro animais.
Tina: Sério? Você tem algum bicho de estimação?
Barry: Claro, eu tenho dois cachorros e um gato.
Tina: E é você quem cuida deles, certo?
Barry: Ah, sim. Minha esposa não é muito chegada a animais, então sou eu quem normalmente os alimenta e cuida deles.
» Veja a versão em inglês desse diálogo na p. 130

ELE ME PARECE UM CARA PROFISSIONAL

Gary: E então, o que você acha do novo funcionário no escritório?
Ben: Acho que ele está se saindo bem. Ele me parece um cara profissional.
Gary: Há quanto tempo ele está na empresa?
Ben: Há umas cinco semanas, eu acho.

Gary: Sério? O tempo passa rápido mesmo.
» Veja a versão em inglês desse diálogo na p. 131

PRECISO DO SEU CONSELHO SOBRE ALGO
Tim: Você tem um minuto?
Ron: Claro. Quais são as novidades?
Tim: Não há muitas. Eu só queria conversar com você sobre algo. Na verdade eu preciso do seu conselho sobre uma coisa.
Ron: Sou todo ouvidos. Pode falar!
Tim: Você sabe que estou prestes a acabar o colegial e que eu estava planejando estudar direito, como o meu pai.
Ron: Sim, você sempre quis ser um advogado como o seu pai.
Tim: Bom, esse é o ponto. Eu não tenho mais tanta certeza.
» Veja a versão em inglês desse diálogo na p. 132

POSSO FALAR COM O GERENTE, POR FAVOR?
Atendente da loja: Bom dia! Como posso ajudar, sra.?
Helen: Gostaria de falar com o gerente, por favor.
Atendente da loja: Claro, talvez eu possa ajudar se a sra. me disser qual é o assunto.
Helen: Bom, eu comprei este liquidificador aqui ontem e fiquei surpresa ao descobrir, hoje de manhã, que ele não está funcionando direito.
Atendente da loja: A sra. tem o recibo?
Helen: Claro, está aqui.
Atendente da loja: Ok, sem problemas. A sra. prefere trocá-lo por um outro ou receber o dinheiro de volta?
Helen: Eu queria um outro, claro. Eu realmente preciso de um liquidificador novo, é por isso que vim aqui comprá-lo ontem.
Atendente da loja: Tudo bem. Só um minuto. Vou pegar um novo para a sra.
Helen: Obrigado. Agradeço sua ajuda!
» Veja a versão em inglês desse diálogo na p. 133

POR MIM TUDO BEM!
Rick: Que tal dar um pulo na casa do Stewart hoje à noite? Nós não o vemos há muito tempo.
Will: Acho bom. Gostaria de saber o que ele anda aprontando.
Rick: Às 19 horas é um horário bom para você?
Will: Pode ser um pouco mais tarde, às 20 horas?
Rick: Claro. Você quer que eu lhe pegue?
Will: Seria ótimo. Ei, nós podíamos ir todos comer alguma coisa no Rocket's. O que você acha?
Rick: Por mim tudo bem! Tenho certeza que o Stewart vai gostar da idéia também. Ele adora hambúrguer. Vejo você às 20 horas, então.
» Veja a versão em inglês desse diálogo na p. 134

NOVOS TEMPOS, NOVOS TRABALHOS

Sean: Como você vê o mundo daqui a vinte anos?
Nick: Puxa, é meio difícil imaginar. As coisas têm mudado tão rápido hoje em dia.
Sean: Você acha que as pessoas não vão mais se locomover até o trabalho?
Nick: Bom, eu acho que muitas pessoas vão trabalhar em casa. Eu tenho alguns amigos que já fazem isso.
Sean: E os trabalhos? Você acha que alguns deles vão desaparecer?
Nick: Tenho certeza que alguns vão. Veja por exemplo os alfaiates. Quase não se vê mais alfaiates.
Sean: É verdade. Por outro lado a tecnologia fez surgir novos trabalhos, como os webdesigners!

» Veja a versão em inglês desse diálogo na p. 135

VII. GUIA DE ÁUDIO: FAIXA E PÁGINA
AUDIO GUIDE: TRACK AND PAGE

Track 1: Breaking the ice p. 13
Track 2: I don't think you've met my friend p. 14
Track 3: Talking about the weather p. 20
Track 4: Making a hotel reservation p. 25
Track 5: Checking in at the airport p. 26
Track 6: On the plane p. 28
Track 7: Getting a cab from the airport to the hotel p. 31
Track 8: Checking in at the hotel p. 33
Track 9: Travelling abroad p. 37
Track 10: Is there a post office around here? p. 39
Track 11: Renting a car p. 41
Track 12: Car problems p. 43
Track 13: Heavy traffic p. 45
Track 14: Shopping for clothes p. 46
Track 15: A great sale p. 49
Track 16: Going out for fun p. 53
Track 17: A great weekend p. 56
Track 18: Going to the movies p. 57
Track 19: What's for dinner? p. 58
Track 20: At the restaurant p. 59
Track 21: A birthday party p. 64
Track 22: A great place for a vacation p. 66
Track 23: A visit to the doctor p. 69
Track 24: Feeling sick p. 70
Track 25: You'd better go on a diet! p. 72
Track 26: At the dentist's p. 74
Track 27: Keeping in shape p. 75
Track 28: Tips from a personal trainer p. 76
Track 29: A new place to live p. 79
Track 30: My favorite household chore p. 82
Track 31: Have you always lived in an apartment? p. 84
Track 32: Problems with the apartment p. 84
Track 33: Family life p. 85
Track 34: Two friends talking about work p. 87
Track 35: You need to slow down! p. 88
Track 36: A job interview p. 89
Track 37: What do you think about the new product? p. 95

Track 38: Can you ask him to call me back? p. 98
Track 39: Money makes the world go round p. 101
Track 40: No time to stop by an ATM p. 102
Track 41: A new boyfriend p. 105
Track 42: Breaking up is always hard to do! p. 108
Track 43: Inviting a co-worker to dinner p. 111
Track 44: I'll take a rain check p. 112
Track 45: You should go out more often p. 112
Track 46: I think I owe you an apology p. 114
Track 47: That's why I love this place! p. 115
Track 48: A daily routine p. 119
Track 49: Life in Brazil and in the USA p. 119
Track 50: It's hot in here! p. 121
Track 51: Feeling tired p. 122
Track 52: A rough day p. 123
Track 53: Can you give me a hand? p. 124
Track 54: Thanks for the ride! p. 124
Track 55: What life was like before computers p. 127
Track 56: What if you were not a webdesigner? p. 130
Track 57: He strikes me as a professional guy p. 131
Track 58: I need your advice on something p. 132
Track 59: Can I speak to the manager please? p. 133
Track 60: Fine by me! p. 134
Track 61: New times, new jobs p. 135

VIII. GUIA DE ASSUNTOS
SUBJECT GUIDE

Aeroporto p. 37-9
  check-in no p. 26-7
  » veja também **Alfândega; Avião**
Agradecimento 124-5
  » veja também **Pedidos e solicitações**
Alfândega p. 30
Apresentar alguém p. 17
Apresentar-se p. 17-8
  » veja também **Descrição**
Avião p. 28-30, 37-9
Cansaço p. 122-4
  » veja também **Trabalho: estresse no**
Carro p. 147
  abastecer o p. 44-5
  aluguel de p. 41-3
  motocicletas e bicicletas p. 148
  problemas no p. 43-4
Casa/apartamento p. 164-7
  afazeres domésticos p. 82-3, 151
  animais de estimação p. 168
  nova moradia p. 79-80
  problemas na p. 84-5
Check-in e check-out
  » veja **Hotel; Aeroporto**
Clima e temperatura p. 20-3, 120-1
Como chegar
  » veja **Pedidos e solicitações**
Comparações p. 119-20, 210-3
Compras p. 46-9, 133-4
  » veja também **Dinheiro**
Computadores p. 127-30
Concordar e discordar
  » veja **Opiniões**
Conhecer alguém p. 14-6
  » veja também **Conversação**
Conselhos
  pedir e dar p. 112-3, 132-3

» veja também **Opiniões: expressar**
Conversação
  ao telefone p. 99-100
  cantada p. 115
  cumprimentos p. 15
  despedidas p. 16
  expressões comuns p. 172-6
  puxar assunto p. 13-4
  ruídos na p. 20
Convite
  cantadas p. 115
  para sair p. 111-2
  recusar p. 112
Descrição
  de características físicas p. 106-7
  de traços de personalidade p. 53-4, 107-8, 121, 131
  de habilidades e competências p. 18-9, 90-1, 131
  de sensações p. 23, 71-2, 87-8, 121-4
Desculpas
  aceitar p. 115
  dar p. 112
  pedir p. 114-5
Dinheiro p. 101-5
  cartão de crédito p. 102
  dólar (EUA) p. 102
  gorjeta p. 63
  libra (Ingl) p. 102
  pagar a conta p. 63
  pedir emprestado p. 102-3
Ditados e provérbios p. 170-1
Entretenimento
  » veja **Lazer**
Esportes p. 55, 150
  » veja também **Saúde**
Família p. 19, 85-6, 146
Hábitos e rotinas p. 119-20, 127
Hotel
  características do p. 34
  check-in e check-out no p. 33
  refeições no p. 36
  reserva de quarto em p. 25-6
Lazer p. 53-8, 64-7

cinema p. 57-8
convidar alguém para sair p. 111-2
feriados e dias comemorativos p. 86, 105
férias p. 66-7
festas e baladas p. 64-5, 115
» veja também Esportes; Turismo; Convite
Localizar-se p. 39-41
» veja também Pedidos e solicitações: de informações de como chegar
Medidas, conversão de
distância e velocidade p. 43
temperatura p. 22
Música, tipos de p. 54
Números p. 143-4
Opiniões
expressar p. 132
concordar com alguém p. 135
discordar de alguém p. 135
» veja também Conselhos: pedir e dar
Países e nacionalidades p. 119-20, 141-2
Pedidos e solicitações
de ajuda da telefonista p. 99
de favores p. 124
de conselhos p. 132-3
de desculpas p. 114-5
de dinheiro emprestado p. 102
de hora p. 145
de informações de como chegar p. 39-41
de informações pessoais p. 17-8
no avião p. 29-30
no hotel p. 35
no restaurante p. 60-2
» veja também Agradecimento; Reclamação
Posto de gasolina
» veja Carro: abastecimento
Pronomes p. 185-8
Provérbios
» veja Ditados e provérbios
Reclamação
fazer uma p. 134
responder a uma p. 134
Refeições p. 152-8, 165
almoço e jantar p. 61, 153-8

   café-da-manhã p. 60, 152-3
   no avião p. 29
   em casa p. 58-9
   no hotel p. 36
   no restaurante p. 59-63
Relacionamentos
   cantadas p. 115
   dia dos Namorados p. 105
   namoro p. 105, 109-11
   rompimento de p. 108-9
   sexo p. 116-7
Restaurantes
   » veja **Refeições**
Roupas e calçados p. 49-51, 149
   » veja também **Compras**
Saúde
   boa forma p. 75-8
   artigos de drogaria p. 163
   corpo humano p. 159-60
   dietas e regimes p. 72-3
   doenças p. 70-2, 161
   enjôo no avião p. 29
   ir ao dentista p. 74, 162
   ir ao médico p. 69-70, 161
   medicamentos p. 163
Táxi p. 31-3
Telefone p. 98-101
   » veja também **Conversação**
Tempo
   » veja **Clima e temperatura**
Tempos verbais
   Condicional p. 198-9
   Futuro p. 197-8
   Futuro imediato p. 207-8
   Gerúndio p. 205-6
   Passado p. 195-7
   Past perfect p. 218
   Past perfect continuous p. 218
   Past progressive p. 207
   Present perfect p. 214-6
   Present perfect continuous p. 216-7
   Present progressive p. 206-7

Presente p. 188-91
  » veja também **Verbos**
Trabalho p. 92-6
  artigos de escritório p. 169
  entrevista de emprego p. 89-92
  estresse no p. 88-9 (veja também **Cansaço**)
  falando sobre p. 87-8, 95, 130-1
  profissões p. 135, 139-40
  reuniões de p. 95-8
  palavras e expressões p. 177-81
Trânsito p. 45-6
  » veja também **Carro; Táxi**
Turismo
  conhecer lugares p. 36
  pedir informações p. 39-41
  » veja também **Lazer**
Verbos
  auxiliar did p. 195-7
  auxiliares do e does p. 188-91
  auxiliar will p. 197-8
  auxiliar would p. 198-9
  modais p. 199-203
  principais p. 221-226
  there to be (haver) p. 208-10
  to be (ser/estar) p. 191-5
  to get p. 218-21
  » veja também **Tempos verbais**

BIBLIOGRAFIA

Brazilian Portuguese. Lonely Planet Publications, 2003.
BREZOLIN, Adauri; ALLEGRO, Alzira Leite Vieira & MOBAID, Rosalind. **Whatchamacallit**: novo dicionário português-inglês de idiomatismos e coloquialismo. São Paulo: Disal, 2006.
BIGNOTTI, João (org.). **Business English Glossary**: Portuguese-English, English-Portuguese. São Paulo: Ciência & Arte Editora, 1998.
Cambridge Advanced Learner's Dictionary. Cambridge University Press, 2003.
CARVALHO, Ulisses Wehby de. **Dicionário dos erros mais comuns em inglês**: um guia para eliminar os erros, melhorar a pronúncia, tornar seu inglês mais fluente, pensar diretamente em inglês. Rio de Janeiro: Elsevier, 2005.
COOPER, Gordon. **Guia de conversação comercial**: Inglês. São Paulo: Martins Fontes, 2000.
COSTA, Cintia Cavalcanti da. **Have a nice trip!** São Paulo: Nova Alexandria, 1998.
____. **Pronto socorro da língua inglesa.** São Paulo: Nova Alexandria, 2006.
DE BIAGGI, Enaura T. Krieck & STAVALE, Emeri De Biaggi. **English in the office**. São Paulo: Disal, 2005.
____. **Enjoy your stay!**: inglês básico para hotelaria e turismo. São Paulo: Disal, 2004.
FIGUEIREDO, Luciana Cassela de & SILVEIRA, Marília de Figueiredo. **English for Travelers**: Inglês para quem viaja. São Paulo: Ática, 2003.
Franklin Dictionary & Thesaurus: Dicionário eletrônico.
GENNARI, Maria Cristina. **Minidicionário Saraiva de informática.** São Paulo: Saraiva, 2001.
Guia de Conversação Berlitz: Inglês. São Paulo: Martins Editora, 2006.
Guia de Conversação Langenscheidt: Inglês. São Paulo: Martins Fontes, 2005.
HEWINGS, Martin. **Advanced Grammar in Use.** Cambridge University Press, 2001.
IGREJA, José Roberto A. **How do you say... in English?**: expressões coloquiais e perguntas inusitadas para quem estuda ou ensina inglês! São Paulo: Disal, 2005.
Inglês + fácil para viajar. São Paulo: Larousse do Brasil, 2003.
Inglês: Guia de conversação para viagens. São Paulo: Publifolha, 2006.
Instant immersion English as a second language: 8 cassettes. Topics Entertainment, 2002.
JACOBS, Michael A. **Como não aprender inglês**: edição definitiva. Rio de Janeiro: Campus, 2002.
Longman Dicionário Escolar Inglês-Português, Português-Inglês. Pearson Education Limited, 2004.
Longman Dicitionary of Contemporary English. Pearson Education Limited, 2003.
Longman Dicitionary of English Language and Culture. Pearson Education Limited, 1993.
Longman Online Dictionary of Contemporary English.
MARCELLO, Nívia. **Perfect Tenses**: como entender e empregar teoria e exercícios. São Paulo: Disal, 2006.
MARQUES, Amadeu. **Dicionário Inglês-Português, Português-Inglês.** São Paulo: Ática, 2004.
MARTINEZ, Ron. **Como dizer tudo em inglês.** Rio de Janeiro: Campus, 2000.

MICHAELIS: pequeno dicionário da língua portuguesa. São Paulo: Companhia Melhoramentos, 1998.
MORAES, Teddy L. **SOS Business!**: dicas de inglês para negócios. São Paulo: Edicta, 2000.
MURPHY, Raymond. **Grammar in use.** Cambridge University Press, 1994.
Oxford Dictionary of Business English. Oxford University Press, 1994.
REIS, Antonio Carlos Vilela dos. **Conversação para viagem**: Inglês. São Paulo: Companhia Melhoramentos, 1998.
SCHOLES, Jack. **Slang:** gírias atuais do inglês. São Paulo: Disal, 2004.
SPEARS, Richard A. **Common American phrases in everyday contexts**. McGraw-Hill, 2003.
Speak English. São Paulo: Escala, 2006.
VOLKMANN, Patrícia Ritter. **Inglês**: conversação para viagem. Porto Alegre: Artes e Ofícios, 2006.
WATCYN-JONES, Peter. **Target Vocabulary 1.** Pearson Education Limited, 2000.
WIGHTWICK, Jane. **15 minutos Inglês.** São Paulo: Publifolha, 2005.

COMO ACESSAR O ÁUDIO

Todo o conteúdo em áudio referente a este livro, você poderá encontrar em qualquer uma das seguintes plataformas:

Ao acessar qualquer uma dessas plataformas, será necessário a criação de uma conta de acesso (poderá ser a versão gratuita). Após, pesquise pelo título completo do livro, ou pelo autor ou ainda por **Disal Editora**, localize o álbum ou a playlist e você terá todas as faixas de áudio mencionadas no livro.

Para qualquer dúvida, entre em contato com **marketing@disaleditora.com.br**

IMPORTANTE:
Caso você venha a encontrar ao longo do livro citações ou referências a CDs, entenda como o áudio acima indicado.

Este livro foi composto na fonte Interstate e impresso em setembro de 2023 pela Vox Gráfica, sobre papel offset 70g/m².